LES PLUS BELLES LÉGENDES
D'EGYPTE

racontées par Thot

avec l'aide de **Gérard Moncomble**
et illustrées par **Yann Tisseron**

Nathan

À mon Albina,
qui habite encore au pays des contes

Papa

À ma princesse d'Égypte à moi, Sarah
Y. T.

Petite Madja, qui reposes sur ta natte de roseau…

M'entends-tu ? Oui, je le sais à tes yeux inquiets. Je te vois tourner la tête en tous sens pour découvrir qui parle. Écoute-moi : si je reste invisible, c'est que tu tremblerais à ma vue. Je ne ressemble pas aux personnes qui d'habitude t'entourent. Je suis – comment dire ? – d'une autre nature.

Tu souris ? Peut-être crois-tu à une farce d'un de tes serviteurs. Bien, bien. Je vais donc me matérialiser. Mais auparavant, ferme tes yeux. C'est toi qui choisiras le moment de me voir.

Voilà, c'est fait. N'ouvre les paupières que lorsque tu seras prête. Aujourd'hui, tu es maîtresse du temps. Peu d'humains peuvent se vanter de m'avoir contemplé, car je suis d'ordinaire en compagnie des étoiles. Le plus souvent je vole dans la nuit, avec à mon front la lumière pâle de la lune.

Tu hésites, maintenant ? Va donc, regarde-moi.

Tu sursautes, ta bouche semble chercher de l'air. Est-ce ma tête d'ibis au long bec recourbé, posée sur mon corps d'homme, qui t'effraie tant ? C'est que je suis un dieu, Madja. Mon nom est Thot.

Veux-tu que je me transforme en babouin ? Je le peux. Nous, les dieux, changeons d'apparence selon nos désirs, ou nos fonctions. Certains d'entre nous ont d'ailleurs plusieurs noms.

Allons, ne te cache pas sous le drap de lin. Je ne viens pas en ennemi, au contraire. C'est Mékétrê, ton père, qui m'a appelé à ton chevet. Non pour te soigner, car on me dit que ta fièvre est tombée, mais pour soulager ton ennui. À ton âge, on a besoin de distraction. Mékétrê m'a suggéré de te conter quelques récits anciens. J'en connais beaucoup. Il dit que tu es curieuse de tout, que tu as l'esprit vif. Il m'a même confié que tu l'aidais volontiers à établir ses plans d'architecte. Est-ce vrai ?

Moi aussi, parfois, je consens à corriger son travail, quand il me le demande. Ce qui fait de ton père l'un de mes admirateurs les plus fidèles. J'aime bavarder avec lui, car son intelligence est grande. Voilà pourquoi j'ai accepté de venir jusqu'à toi, quoique mon temps soit compté. Considère ceci comme un honneur.

Dis-moi... Voudrais-tu savoir comment est né notre pays, l'Égypte ? Ah, tes yeux brillent. Comme tous les enfants, tu es gourmande d'histoires. Cale ta nuque sur ce petit banc de bois sculpté. Voici mon premier récit.

OÙ L'UNIVERS
ÉMERGE DU NÉANT

Je vais conter la naissance de Rê, le dieu soleil, et comment il a créé seul l'univers qui nous entoure.

Au commencement des temps, il n'y avait rien, Madja. Rien, hormis le Noun ; un liquide épais, obscur, totalement immobile, qui s'étendait à l'infini. Le jour n'existait pas, ni la nuit, ni le temps. Nul bruit, nul souffle.

C'est pourtant de ce sombre océan que surgit une fleur de lotus. Elle flottait à la surface des eaux, repliée sur elle-même, semblable à un scarabée. Puis elle s'ouvrit lentement. Un fort parfum se répandit tandis que l'obscurité diminuait peu à peu. Alors, parmi les pétales dressés, parut un enfant au front lumineux. Il regarda autour de lui, le doigt posé sur ses lèvres. Le ciel s'embrasa. Et la lueur fut si vive, si soudaine, qu'elle aveugla l'enfant-dieu un bref instant. De ses yeux jaillirent des larmes, qui roulèrent au milieu de l'océan.

Mais déjà le dieu s'était repris. Déjà il changeait de forme, devenait plus grand, plus vigoureux. Il s'élança sur une butte de roseaux cerclée de sable blanc, qui venait d'émerger. Le sol trembla sous son poids.

Rê fit face à l'horizon, majestueux. À son front brillait l'Œil sacré, celui qui voit tout. Celui qui parfois se dresse sous la forme d'un cobra pour foudroyer ses ennemis.

Il était seul au sein du Noun. Seul pour créer l'univers. Et, parce que sa tâche était colossale, il décida de se multiplier. Dans son cœur et sur sa langue montèrent les noms de ses premiers enfants, Shou et Tefnout. Oui, Madja, il lui suffisait de les nommer pour qu'ils surgissent de sa salive. Ainsi cracha-t-il Shou, son fils, en proclamant : « Tu es la vie. » Il fit de même avec sa fille, Tefnout. « Tu es la justice et l'harmonie », dit-il. Vois comme il est puissant, ce dieu qui n'eut besoin de personne pour procréer !

Sitôt conçu, Shou s'accrocha au dos de son père, tandis que Tefnout, la déesse à tête de lionne, se blottissait contre le ventre du grand dieu. Tous trois semblaient ne former qu'un seul corps, un corps à la force inouïe. Rê flamboyait d'un feu ardent ; Shou était le souffle, l'air qui conduisait la lumière divine ; Tefnout apportait la chaleur, l'humidité.

Rê permit à Shou et Tefnout de s'accoupler. De leur union naquirent Geb, la terre, et Nout, le ciel. Avec leur venue s'achevait la création de l'univers. Terre et Ciel se mêlaient alors étroitement. Ils allaient main dans la main, comme les deux époux qu'ils étaient. Ils s'aimaient d'un amour immense. Plus tard, Geb et Nout seraient séparés sur ordre de Rê. Mais cela, ils ne le savaient pas encore.

Ainsi, les premiers dieux peuplaient l'univers.

À présent, il fallait sur la terre un palais au grand dieu. Un lieu sûr où personne, pas même les autres dieux, ne pourrait l'atteindre. Car c'est là, pensait-il, qu'il séjournerait pendant des siècles et des siècles.

De son souffle vital, Rê créa quatre gardiens. Écoute leurs noms, qui sont à eux seuls effrayants : Seigneur du harpon, Seigneur du couteau, Celui qui terrifie, Celui dont le mugissement est puissant. Quatre colosses à tête de faucon, de lion, de serpent et de taureau. Entends-les crier, rugir, siffler, mugir ! Leurs poings étaient armés de lames à l'acier tranchant. Ils se multiplièrent en une horde immense qui se dressa au nord, à l'est, au sud et à l'ouest, formant ainsi les murs du palais. Voilà ce qu'était la demeure de Rê. À vrai dire, une forteresse !

Cependant le Noun n'avait pas disparu ; il flottait autour de l'univers, le cernant de toutes parts. De même qu'il flotte encore aujourd'hui. Oui, Madja, lorsque le monde cessera un jour d'exister, alors le Noun se refermera. Les dieux, les hommes et les bêtes, la terre et les étoiles, tout s'évanouira. C'est ainsi.

N'aie pas peur, fille de Mékétrê. Avant que le Noun n'engloutisse l'univers, il se passera tant et tant de choses que les conteurs auront longtemps encore des histoires à murmurer à l'oreille des enfants.

Tout comme celles qui ce soir se pressent sur ma langue.

OÙ LES HOMMES
SE RÉVOLTENT CONTRE RÊ

Voici un récit qui parle de tes semblables, les hommes. Je vais dire comment ils furent créés et aussi de quelle façon ils échappèrent à la destruction.

Te souviens-tu des larmes que Rê en naissant a laissé rouler dans l'océan ? Longtemps elles flottèrent entre deux eaux, tels des poissons. Plus tard, Khnoum, le dieu à tête de bélier, s'en servit pour façonner les hommes. Il mélangea les larmes du grand dieu à la boue fertile du fleuve Nil, qu'il pétrit longuement. Puis, usant de son tour de potier, il modela le premier homme et la première femme. Khnoum fit en sorte que le sang circule, que le cœur batte, que les vertèbres soutiennent le dos et le crâne. Il mit en place tous les organes, un par un, avec minutie. Puis il permit aux femmes de procréer, ce qui n'était jusque-là que le privilège des dieux. Enfin, de son souffle divin, il donna à chacun une âme, sans laquelle une créature n'est rien d'autre qu'un sac de chair et d'os.

Khnoum façonna aussi le bétail et les animaux sauvages. Les arbres naquirent, les fleurs, les roseaux au bord des lacs. Son tour fonctionnait sans cesse, ses mains volaient sur l'argile. Khnoum semblait inépuisable.

Lorsqu'il s'arrêta, Rê était fort satisfait. Il nomma chaque chose, chaque créature, chaque végétal. Comme j'étais le greffier divin, il me fit venir. Sur mes tablettes de cire, j'inscrivis l'un après l'autre les noms qu'il avait prononcés.

Voilà, Madja. La terre, plate comme une galette d'épeautre, était peuplée de dieux, d'hommes, d'animaux, de plantes. Au chaos qui enfanta l'univers succédait une période heureuse, qu'on appela l'âge d'or. Rê, le dieu soleil, déversait ses flots de lumière sur les plaines, sur le fleuve Nil aux rives plantées de papyrus. Les champs regorgeaient de blé, les arbres étaient couverts de fruits. De sorte que les hommes

vivaient paisiblement, comme le bétail et les animaux sauvages. Nulle querelle entre eux tous, ni guerre ni maladie. Rê dispensait à chacun sa chaleur divine et bienfaisante. Il n'y avait ni jour ni nuit. Le temps s'écoulait sans heurt.

Nous, les dieux, habitions dans des palais fastueux bâtis au bord du Nil. Chacun menait ses affaires. Nous étions entourés de génies de moindre importance, dont la tâche est de nous assister en toute chose. Parfois, nous envoyions des messagers afin de convier les autres dieux à un festin, à une discussion. De temps à autre nous empruntions une barque en bois de cèdre pour naviguer sur le grand fleuve ou traverser le ciel. Notre existence, comme tu le vois, était insouciante.

Mais lorsque Rê nous convoquait, nous accourions sur-le-champ. Alors était constituée l'assemblée des dieux. Nous étions nombreux. Ceux des premiers temps, nés de la salive de Rê ; leurs descendants ainsi que la lignée qui s'ensuivit ; plus quelques autres, dont moi, qui autrefois pris naissance dans le cœur de Rê, un jour qu'il était triste. Nous étions les conseillers du grand dieu, ses ombres fidèles et vigilantes. Toutefois, comme Rê était un dieu ombrageux, nous ne contestions jamais ses décisions. Il était le Maître de toutes choses.

Il se passa neuf siècles ainsi, dans une douce harmonie. Neuf siècles où Rê fut le centre de l'univers, où ses créatures fourmillaient dans sa lumière divine en s'en réjouissant. Du moins c'est ce qu'il nous semblait.

Tu devines la suite. Tu te doutes que cette paix va être brisée. Par qui ? Par les tiens, Madja. Les hommes, oui, qui jalousent toujours les puissants et désirent leur pouvoir. Ils s'agitaient, ils complotaient. Le règne absolu de Rê leur pesait. Ils voulaient leur liberté. Leur liberté ! Par Noun ! alors qu'ils étaient nus comme des vermisseaux, aussi faibles que des poux. Mais ils étaient rusés, lucides. Ils voyaient bien que le grand dieu s'était affaibli au fil du temps. Certes, son Œil sacré avait toujours cet éclat fatal, qui foudroyait ses ennemis, ou ceux qui lui résistaient. Cependant il vieillissait : ses os étaient devenus d'argent, sa chair d'or, ses longs cheveux de lapis-lazuli. Sans doute était-il las de répandre sans cesse sa lumière et de veiller sur l'univers. Les dieux d'Égypte sont parfois inconstants, comme les mortels. Même Rê ! Songe, Madja, à cette tâche immense qu'il accomplissait depuis si longtemps !

Les hommes se rebellaient donc contre lui. Ils se réunissaient en secret, échafaudaient des plans. Ils caquetaient comme une basse-cour impatiente. Oubliaient-ils, ces nabots arrogants, que Rê voyait tout de la terre plate et immobile ? Misérables insectes ! À les surprendre ainsi, le grand dieu fut saisi d'une terrible colère. Il convoqua aussitôt l'assemblée des dieux en son palais. Nous l'écoutâmes, stupéfaits. Le crime était grand, en effet. Approuvé par les autres dieux, je conseillai à Rê d'être impitoyable.

— Plus tu seras craint, dis-je, plus ton pouvoir sera fort. Sois impitoyable avec tes ennemis. Envoie aux hommes le feu de ton Œil sacré et qu'il les détruise !

Rê hocha la tête, les poings serrés. Il se tourna vers Hathor, sa fille, gardienne de l'Œil sacré, et lui ordonna d'anéantir l'humanité. Sa voix était dure comme l'acier, ses paroles tranchantes. Hathor obéit, qui pourtant n'a rien d'une guerrière : elle est la déesse de l'amour, de la musique et de la danse. Son visage est d'ordinaire celui d'une chatte douce et câline. Mais Rê connaissait sa part cachée d'ombre et de violence. Hathor devint soudain Sekhmet la sanguinaire. Nous la vîmes se changer en lionne aux griffes acérées, à la gueule grimaçante. Elle se rua sur les hommes et partout les traqua ; à travers les ruelles des villes, dans la cour des temples, parmi les maisons d'argile et de bois. Puisque Rê avait fait d'elle l'instrument de sa colère, elle tuait sans pitié. Bientôt les cadavres jonchèrent le sol comme des roseaux tranchés. Et l'odeur du sang enivra la déesse qui prenait un plaisir féroce au carnage. Les hommes tentaient de fuir dans le désert mais la lionne les poursuivait sans relâche. À chaque bond prodigieux, elle faisait de nouvelles victimes. Les pierres, le sable se teintèrent de pourpre.

Rê voyait tout des massacres. L'odeur du sang, les hurlements, l'amas des cadavres, loin de l'apaiser, le consternèrent. Sa fureur contre les hommes disparaissait au spectacle de ces scènes effarantes. N'avait-il pas créé les hommes de ses propres larmes ? N'était-ce pas un morceau de lui-même qui était en train de disparaître ? Il devait arrêter la tuerie. D'une voix pressante, il ordonna à Hathor de cesser sa terrible besogne.

– Laisse en paix les survivants et retourne auprès de moi. La punition est suffisante, les hommes se soumettront.

Mais le sang appelle le sang. La déesse avait goûté au liquide épais qui rougissait sa gueule, et elle en réclamait encore. Elle n'était plus la fille obéissante de Rê, mais Sekhmet la Puissante, dont l'haleine est le vent du désert. Les supplications de Rê étaient inutiles. Sekhmet ne l'entendit pas, et poursuivit sa tâche mortelle. Enfin, harassée, elle s'accorda quelques heures de répit.

L'occasion était belle. Rê songea à en tirer profit. Puisque sa toute-puissance était en échec, il lui fallait ruser. Il nous expliqua son plan puis convoqua l'armée de ses serviteurs.

– Qu'on aille au sud chercher des monceaux d'ocre rouge ! tonna-t-il.

Puis, se tournant vers les servantes, qui guettaient ses ordres :
– Remplissez de grandes cuves avec de la bière d'orge !

Nous, les dieux, encouragions les uns et les autres, car le temps pressait. Shou, maître de l'air, fit souffler un vent fort, qui poussa les serviteurs vers le sud. Geb, dieu de la terre, les mena sur des sols où l'ocre abondait. Pour ma part, je calculai l'exacte proportion d'ocre à ajouter à la bière. Il y allait de la survie des hommes, Madja !

Sous ma surveillance, on mêla dans les cuves l'ocre à la bière d'orge.

Le mélange était épais, d'un rouge sombre, pareil au sang humain. Son parfum était grisant. On remplit sept mille cruches de cette étrange boisson.

Nous partîmes vers le désert, la troupe immense des serviteurs portant les cruches. Quelle horde singulière, n'est-ce pas ? Nous forcions l'allure, impatients d'agir. Le grand dieu était parmi nous, tout aussi empressé.

— Hâtez-vous, mes amis ! rugissait-il. Il faut devancer le réveil de la lionne divine.

Nous la trouvâmes encore endormie au sommet d'une dune. Rê ordonna qu'on répande les cruches sur le sable. Sept mille d'un coup ! Assez pour que le désert alentour devienne un immense lac de sang.

C'est du moins ce que crut Sekhmet en s'éveillant. Et l'odeur était forte, plus attirante que jamais. Elle y plongea sa gueule et but, but à n'en plus finir. À l'abri d'une dune, nous la regardions s'avancer dans le liquide sombre et s'en régaler. Ce que Rê avait prévu arriva : Sekhmet se mit à tituber, son regard se troubla. Quand enfin elle cessa de s'abreuver, elle n'était plus qu'une déesse ivre. Ses traits se radoucirent, elle s'apaisa et s'endormit.

À son réveil, redevenue Hathor la douce, elle ne se souvenait de rien.

Les derniers hommes étaient saufs. Rê avait empêché que l'Égypte ne devienne un désert peuplé de serpents, de scorpions et de moustiques. Oui, Madja, même si tes semblables sont parfois des créatures malveillantes, il aurait été injuste de les anéantir.

Et, sinon eux, qui aurait régné sur la terre lorsque, plus tard, les dieux décidèrent de gagner le ciel ? Les criquets ? Les poux ? Allons donc ! Épargnant les hommes, Rê, dans sa divine sagesse, préparait l'avenir.

OÙ RÊ, DEVENU VIEUX, ASPIRE AU REPOS

Je vois que mon dernier récit t'a bouleversée, chère Madja. Tu as ton compte de massacres, je le comprends. L'histoire du monde se nourrit parfois des plus terribles malheurs. Mais ce qui va suivre est plus paisible.

Je vais conter comment le jour et la nuit furent créés. Je dirai aussi comment Rê acheva de parfaire l'univers, pour le plus grand bien de tous.

La révolte des hommes avait ébranlé le dieu soleil. Il en avait assez de parcourir sans cesse la terre peuplée de créatures ingrates. Assez de l'éclairer dans ses moindres recoins. Assez enfin d'être guetté par tous, jalousé, contrarié. Il se sentait vieux et fatigué. Mais il lui était impossible de disparaître définitivement du ciel. Alors ? Comment pouvait-il se reposer sans mettre en danger l'univers ? Il interrogea l'assemblée des dieux, quêtant l'avis de l'un ou de l'autre. Puis il réfléchit longuement avant de prendre sa décision. Pour finir, il convoqua Shou, le fils né de sa bouche, et dit :

— Voici venu le moment de ton règne sur la terre d'Égypte. C'est toi qui me remplaceras. Tu vivras parmi les hommes, les génies et les dieux, en pharaon.

Il appela sa fille Nout, la déesse du ciel.

— Transforme-toi en vache, dit le grand dieu.

Un instant surprise, la déesse obéit. Rê grimpa sur son dos et, empoignant les deux cornes de Nout, ordonna :

— Élève-toi, à présent, élève-toi assez haut, afin que les hommes disparaissent à mes yeux. Ainsi, ils ne pourront plus m'atteindre. Mais je veux qu'ils continuent à me voir, car je ne les abandonne pas. Va !

Tous deux s'élancèrent vers le ciel, Rê les poings furieusement accrochés aux cornes, Nout bondissant sur ses pattes interminables.

Drôle d'équipage, Madja ! Et fragile, car Nout, s'élevant ainsi plus

haut qu'elle n'était jamais allée, tremblait de tous ses membres. Sa course se faisait maladroite, elle chancelait et, par Noun ! Rê manqua de tomber. Par bonheur, Shou étendit ses bras jusqu'à la déesse et la maintint en équilibre, tandis que Rê ordonnait à quatre génies de supporter les pattes de Nout. Ainsi le grand dieu et la Vache céleste poursuivirent-ils leur montée vertigineuse. Rê se pencha vers la terre. Son regard embrassait maintenant tout ce qu'il désirait voir. Il tira doucement sur les cornes divines.

— Cesse ta course, Nout. Ta place est désormais ici, avec moi.

Le corps gracile de la déesse s'étirait à l'infini, couvrant l'horizon immense. Ses pieds touchaient l'est tandis que sa tête atteignait l'ouest.

— Tu seras la voûte du ciel pour l'éternité, dit Rê.

Nout protesta.

— C'est près de Geb, mon époux, que je veux vivre, seigneur.

— J'en ai décidé autrement. Vous serez des époux lointains, voilà tout. Ainsi, chacun pourra s'épanouir par lui-même. Toi, Nout, tu procréeras les astres et les étoiles. Geb, les montagnes, les arbres, les fleuves.

Nout eut un sanglot, mais baissa la tête et se tut. Sur la terre, Geb, son époux au corps parsemé de roseaux, ne put que la contempler flottant au-dessus de lui. Rê avait dicté sa loi. Qui pouvait lui résister ?

Le grand dieu avait d'ailleurs ses raisons. Crois-tu qu'il allait bâtir un autre palais dans le ciel et s'y reposer paisiblement ? Non, petite Madja. Notre Rê, malgré sa vieillesse, avait une tout autre ambition. Il voulait créer un nouvel univers, où il pourrait à la fois paraître et disparaître. Je vais le dessiner dans la poussière du sol, tel qu'il l'avait imaginé. Et tel qu'il existe encore aujourd'hui.

Regarde. Je trace en haut le dos de Nout, qui marque la limite du ciel ; en bas, la terre d'Égypte traversée par le Nil, le fleuve sacré. Au milieu, l'air où volent les oiseaux, les nuages et les vents. Sur le dos de Nout, Rê a fait couler un fleuve aussi large que le Nil. Puis il a voulu qu'un second fleuve traverse le corps de Nout ! Un fleuve secret dont nul ne connaîtrait l'entrée. C'est pourquoi je ne le dessine pas.

Ainsi, pour éclairer les hommes, les bêtes et les plantes, Rê parcourt le dos de Nout, dans sa barque divine, d'est en ouest. C'est une croisière joyeuse, pendant laquelle il lance comme autrefois ses rayons flamboyants. Mais quand le voyage s'achève avec le soir, sa lumière faiblit, s'estompe. Désormais, chaque nuit, le grand dieu navigue d'ouest en est sur le fleuve caché à l'intérieur de Nout, disparaissant aux yeux de tous.

Voilà bâti le nouvel univers de Rê et de ses créatures. Un territoire visible, l'autre invisible. Le premier est borné par de hauts murs de cuivre. Dans les champs foisonnants, l'orge et le blé ont des épis gigantesques, que des géants moissonnent. C'est un territoire d'or et de lumière, dont Rê est le souverain absolu. De là-haut, il voit tout de son Œil sacré et peut veiller sur la terre d'Égypte. Le second territoire, clos par de lourds portails, est empli de ténèbres. C'est le séjour des morts, la Douât, que Rê va visiter chaque nuit. Il s'y régénère, il y puise des forces vives pour briller à nouveau le lendemain.

Aussi le dieu soleil a-t-il trois noms, qui évoquent son ardeur, sa fatigue, et sa renaissance. Radieux, au zénith, il est Rê, bien sûr. Au crépuscule, il est Atoum, le vieillard, l'homme à tête de bélier. C'est ainsi qu'il entre dans la Douât. Au matin, de nouveau vigoureux, scintillant, il est Khépri, le dieu scarabée, qui s'élance dans le ciel. Tu vois, il a trois noms, et pourtant c'est le même dieu, qui se métamorphose sans cesse.

Nous autres dieux prenons des formes et des noms aussi nombreux que les nuages dans le ciel. Je les connais tous mais j'ai choisi de les taire, pour la plupart, afin de ne pas t'égarer.

Comme tu l'as compris, le grand dieu venait de créer la nuit. Mais une crainte le saisit : les hommes ne profiteraient-ils pas de l'obscurité pour comploter, se rebeller une fois encore contre lui ?

Alors Rê se tourna vers moi, qui, comme les autres dieux, étais impatient de le servir.

— Je te nomme Vizir, Thot. Chaque nuit, tandis que je disparaîtrai dans l'au-delà, tu régneras sur terre. Tu y seras mon œil nocturne, sous la forme d'une lune parfois ronde, parfois aussi mince que ton bec d'ibis. Tu guideras les étoiles qui scintilleront sous le ventre de Nout, avant qu'elle ne les avale, au matin, pour les recracher le soir. C'est toi

aussi qui feras le décompte des jours et des nuits. Tu seras le maître du temps.

Rê ferma les yeux un instant, comme s'il pesait ses mots, puis ajouta :

— Je te vois souvent sous la forme d'un babouin, accroupi comme un scribe. Tu notes, tu réfléchis, tu médites. Je sais l'étendue de tes connaissances. Je te charge de les transmettre aux hommes. Mais je me méfie d'eux. C'est pourquoi je veux que tu contrôles leur savoir et ce qu'ils en feront.

Je m'inclinai en silence, tâchant de cacher mon immense fierté. Certes, Rê m'ayant conçu autrefois au plus profond de son cœur, lors d'un moment de solitude et de mélancolie, j'étais devenu son confident. Mais cette fonction m'honorait au-delà de tout. J'étais associé au nouvel univers, et de quelle façon ! Le vizir de Rê, par Noun !

Ah, ton œil se plisse de malice. Sans doute me trouves-tu vaniteux, Madja. À vrai dire, je n'en reviens toujours pas d'avoir été choisi par Rê pour le remplacer lors de son voyage nocturne. Certains parmi la divine assemblée m'en ont voulu et me jalousent encore. Avoir des privilèges a ses désavantages. Mais qu'importe !

Le grand dieu en avait décidé ainsi. Désormais, quand tu lèveras les yeux vers le ventre de Nout, qui s'étend comme un drap semé d'astres et d'étoiles, pense que c'est à Rê que tu le dois. Pareillement la fraîcheur, la paix et ce vaste silence tombant sur terre. Oui, le mystère, la beauté des nuits sont nés le jour où Rê a voulu se reposer.

Et moi, qui porte au front la lune, je suis celui qui veille. Regarde au-dehors, Madja, ce grand halo pâle transperçant les nuages. Je suis cette clarté-là, autant que le conteur que tu écoutes.

OÙ NOUT JOUE AUX DÉS POUR ACCOUCHER DE SES CINQ ENFANTS

Certains dieux prétendent que j'aime parler de moi. Je serais un fieffé bavard, disent-ils. Sottises ! C'est la jalousie qui les ronge. Je sais tant de choses qu'ils ignorent... Cependant, il me vient une anecdote où mon rôle fut décisif.

Je vais conter comment Nout, la déesse du ciel, trompa Rê pour accoucher de ses cinq enfants.

Te souviens-tu qu'autrefois, le grand dieu avait séparé Geb et Nout ? Le dieu de la terre et la déesse du ciel, qui s'aimaient passionnément, avaient dû s'éloigner l'un de l'autre. Certes, ils étaient époux tout autant que frère et sœur, mais ils étaient avant tout les créatures de Rê et lui devaient obéissance. C'est ainsi que Nout s'éleva haut, très haut pour devenir la voûte céleste, et que Geb dut se résoudre à la contempler de loin.

Vint le moment où Rê décida de disparaître la nuit dans la Douàt et me nomma son vizir, comme tu sais. Et que vis-je, Madja ?

L'impensable ! Je vis Geb et Nout se rejoindre dans les ténèbres. Voilà des siècles qu'ils étaient séparés, tu comprends ; c'était pour eux une occasion inespérée de se retrouver ! De s'aimer ! Je me détournai pudiquement, mais c'était trop tard. Étant le gardien nocturne de l'ordre céleste, je dus les dénoncer. Avec grand regret, car j'ai toujours eu de la tendresse pour Nout, que j'accompagne chaque nuit lorsque je guide les étoiles.

Lorsque Rê apprit l'événement, une grande colère le saisit.

— Ainsi, s'emporta-t-il, dès que je m'absente, le monde n'en fait qu'à sa tête !

Ses yeux flamboyaient de rage.

— Par Noun ! hommes ou dieux, nul ne doit défier mes lois ! Fais en sorte, Thot, que ces deux fous cessent sur-le-champ leur liaison !

Mais Nout était déjà enceinte. Cette seconde nouvelle mit Rê hors de lui. Le grand dieu avait toujours redouté qu'un imprévu ne provoque un désordre irréparable. Il interdit à Nout d'accoucher durant les trois cent soixante jours de l'année qui venait, et pendant ceux des années futures.

— Si tu vas contre cet ordre, tonna-t-il, ma vengeance sera pareille à la foudre. Prends garde, toute déesse que tu es !

Rê est un roi impitoyable, il l'a prouvé maintes fois. Nout était terrorisée. De son côté, Geb s'inclina, impuissant. Nout était seule à ruminer son malheur. Je la regardais avec une grande pitié, mais que pouvais-je faire contre les lois de Rê, moi qui étais son vizir ? Le grand dieu avait tout simplement condamné Nout à garder ses enfants dans son ventre.

Les mois passaient, qui accentuaient le désespoir de Nout et, j'en conviens, mon malaise. Puis, par une nuit où je flottais silencieusement dans le ciel sombre, Nout déploya ses ailes immense et vint à ma rencontre. Entre ses mains elle tenait un cornet en bois.

— Vois, ô Thot, ce cornet à dés. Que dirais-tu d'une partie, entre amis ?

J'acceptai, perplexe. Nout savait que j'étais depuis longtemps passé maître à ce jeu. Pourquoi me défiait-elle ?

Nous jouâmes. Tout en lançant les dés, Nout ne me quittait pas des yeux. Elle avait des gestes rapides, adroits et les dés roulaient dans le sens qu'elle désirait. Moi, je jouais à mon habitude, avec science, avec méthode. Étant seigneur du temps, je maîtrise le hasard. Pourtant, cette nuit-là, mes mains tremblaient. Je sentais le regard de Nout, qui pesait sur mon front. Mes lancers étaient malhabiles, désordonnés. Je devinais dans les yeux de Nout une telle détresse que mes derniers efforts pour

me concentrer s'évanouirent. Je perdis la partie. C'était bien la première fois. Étrangement, cela ne me contraria pas. Mieux, je proposai à Nout qu'elle m'impose un gage, puisque j'étais battu.

— Je voudrais, ô maître du temps, que tu ajoutes cinq jours à ceux que l'année compte déjà.

— Qu'en feras-tu, Nout ?

Elle sourit mystérieusement sans répondre. Bien sûr, je savais à quoi elle pensait. Mais, feignant de l'ignorer, je lui accordai les cinq jours demandés.

Tu as compris de quoi il s'agissait, Madja : Nout gagnait le droit d'accoucher. Ses enfants ne naîtraient pas durant l'année du calendrier, soit, mais pendant ces cinq jours supplémentaires. Et Rê n'y pourrait rien. Malgré sa toute-puissance, le grand dieu était bel et bien dupé. Quelle sottise de croire qu'il empêcherait une mère d'enfanter !

Ils furent cinq à venir au monde. Au premier jour parut Osiris, qui était promis à un avenir immense. Horus, celui qu'on nomme l'Ancien, naquit le deuxième jour. Au troisième jour surgit Seth, qui déchira le flanc de sa mère, tant il était brutal. Enfin, durant les derniers jours, arrivèrent leurs deux sœurs, si semblables, si proches : Isis et Nephtys.

Je suis de ceux qui assistèrent Nout dans cette épreuve. Thouéris, la déesse hippopotame, prononça les paroles rituelles nécessaires à l'accouchement. Il y avait aussi Geb, le père bienheureux, et quelques autres.

Ces cinq jours furent décisifs pour l'univers, car ces enfants-là allaient bouleverser le monde. Avoue qu'il aurait été dommage que Nout les garde dans son ventre.

À la réflexion, je trouve que j'ai été bien inspiré de perdre cette partie de dés. Tu le penses aussi ? Je te remercie, noble fille de Mékétrê.

OÙ RÊ AFFRONTE
LE MONSTRUEUX APOPHIS

J'ai dit tout à l'heure comment Rê, aspirant au repos, avait créé la nuit. Je vais conter à présent son voyage nocturne dans la Douât. Tu verras, Madja, qu'il est loin d'être tranquille.

La Douât, qui est le territoire des morts, abrite également les plus terribles ennemis du grand dieu. Rê ne l'ignore pas. Mais s'il veut se régénérer, s'il veut revenir chaque matin plus radieux, il lui faut combattre chaque nuit les forces inouïes des ténèbres.

En ce moment même, Madja, Rê s'apprête à accomplir cet étonnant voyage. Vois comme le ciel s'est assombri. Tout à l'heure, lorsque tu dormiras, le grand dieu pénétrera dans la Douât.

À présent, écoute mon récit.

C'est le crépuscule. Rê a abandonné sa longue barque d'or, majestueuse, scintillante, pour une autre, plus terne. Elle est faite d'argent, de cèdre et d'ébène. Imagine l'équipage divin, Madja. Rê est debout au centre du bateau, sous un dais tendu d'étoffe. Sa tête est celle d'un bélier et son regard est fixé sur l'horizon de plus en plus ténébreux, où vont s'ouvrir les portes de la Douât. À la proue de la barque, devant lui, se tient Oupouaout, qu'on nomme Celui qui ouvre les chemins. D'autres dieux parfois l'accompagnent, dont Hou, Héka, Sia.

Pour l'heure, ce sont les étoiles qui tirent l'embarcation. Bientôt, sur le grand fleuve secret, quelques dieux empoigneront leur aviron pour ramer.

Tu vois, Rê ne navigue pas seul. C'est que l'aventure sera périlleuse ; il aura besoin d'aide.

La barque arrive aux confins du jour. Le lourd portail s'ouvre puis l'engloutit sans bruit. L'équipage est entré dans les ténèbres. Les avirons plongent dans le fleuve, dont le courant est puissant et porte aisément la barque.

Sur la rive accourent des hordes de babouins, hurlant d'excitation, ainsi que des dieux, fort nombreux, qui viennent saluer le passage de Rê. Leurs cris de bienvenue ressemblent au vacarme d'une basse-cour. Le tumulte est tel qu'il faut des génies armés de lances et de couteaux pour les écarter de la barque divine, tant ils veulent s'en approcher.

Rê aime qu'on l'acclame. Bien qu'il soit harassé de fatigue, il donne à tous la lumière qu'ils réclament. Le grand dieu puise là dans ses ultimes forces.

La barque glisse toujours sur l'eau mais, à présent, les avirons raclent le sable. Le grand fleuve secret n'est plus qu'un mince filet d'eau qui se perd dans le sol. Il faut haler Rê et son équipage. Les défunts affluent de toutes parts et, à l'aide d'une corde, tirent la barque du

grand dieu. Leurs ombres se confondent bientôt avec les ténèbres, qui s'épaississent. Oupouaout installe alors à la proue des serpents dont les têtes rougeoient, éclairant la nuit. Mais ce n'est pas suffisant. La progression de Rê ralentit, devient difficile.

C'est ainsi que Rê pénètre dans le territoire d'Osiris, le dieu des morts, dont la momie repose sous une butte proche. Je parlerai longuement d'Osiris plus tard, tant il a d'importance parmi nos dieux d'Égypte. Dans ce récit, il est celui qui règne sur le peuple des défunts.

L'entrée de son tombeau est flanquée de quatre têtes crachant des flammes. Osiris n'est pas seulement un corps embaumé, scellé dans un sarcophage ; il est aussi le dieu de la vie et de la fertilité, le dieu de la renaissance. Au passage de Rê, Osiris s'anime, l'enveloppe, se fond en lui. Par son souffle vital, il régénère le soleil épuisé. Rê reprend des forces, la barque accélère, retrouve le lit du fleuve. À nouveau les avirons frappent en cadence l'eau revenue. En quittant Osiris, Rê se sent de plus en plus vigoureux.

On pourrait croire que le voyage est sur le point de s'achever, puisque l'équipage a retrouvé son élan, et le grand dieu son ardeur. Mais un ennemi puissant va surgir, qui mettra en péril la vie de Rê et l'univers. Pas moins. C'est Apophis le serpent. Un serpent de cinquante coudées, dont la tête et le cou sont en silex ! Dont la gueule aux crocs féroces exhale une haleine embrasée ! Il veut la mort de Rê. Apophis n'aime que le chaos, les ténèbres, le néant ! Il est Celui qui détruit.

Le voilà qui émerge des flots, faisant rouler des vagues furieuses contre la barque qui tangue, manque de chavirer. De la tête, de la queue, le monstre assène des coups terribles à l'embarcation. L'eau

tourbillonne, gicle. Il faut écoper la barque, qui poursuit cependant sa course, car l'équipage continue à ramer. Si elle résiste aux assauts d'Apophis, Ré et ses compagnons passeront !

— Ne faiblissez pas, aux avirons ! crie le grand dieu. Souquez, souquez ferme !

Et, à la tête hideuse, dressée devant lui :

— Je ne te crains pas, charogne ! Tu n'es qu'un chacal puant ! Une fiente de chien !

Apophis se moque des insultes. Et la voix de Rê lui semble un pépiement d'oiseau. Il plonge sa gueule effarante dans l'eau du fleuve et l'assèche, comme s'il s'agissait d'un vulgaire abreuvoir. La barque divine est sur le flanc, échouée, pitoyable, à la merci du monstre. Apophis se dresse, à moitié recouvert de boue et de sable, fouettant l'air de son énorme queue. Il s'apprête à cracher des flammes sur Rê. Ses yeux ronds de reptile ont un éclat triomphal.

— Seth, maître de la foudre ! J'ai besoin de toi !

La voix impérieuse de Rê a claqué dans la Douât. Et Seth surgit. Seth ! Le dieu roux du désert, maître du tonnerre et du désordre, redouté par tous, tant il est violent. On dit qu'il est l'ombre de Rê, son ombre destructrice. En tout cas, il n'est jamais loin du grand dieu. Dans son énorme poing est fiché un harpon de cuivre. Il s'approche d'Apophis à grandes enjambées et, avec un cri bestial, lance son arme sur le monstre. La puissance du coup est telle que le harpon transperce le serpent de part en part. Un flot inouï jaillit de la blessure, comme un volcan vomissant sa lave. Mais c'est du fleuve qu'il s'agit ! le fleuve englouti par le monstre, qui regagne son lit en bouillonnant, mêlé au sang de la bête. Et, tandis que la barque de Rê se remet à flotter, Seth,

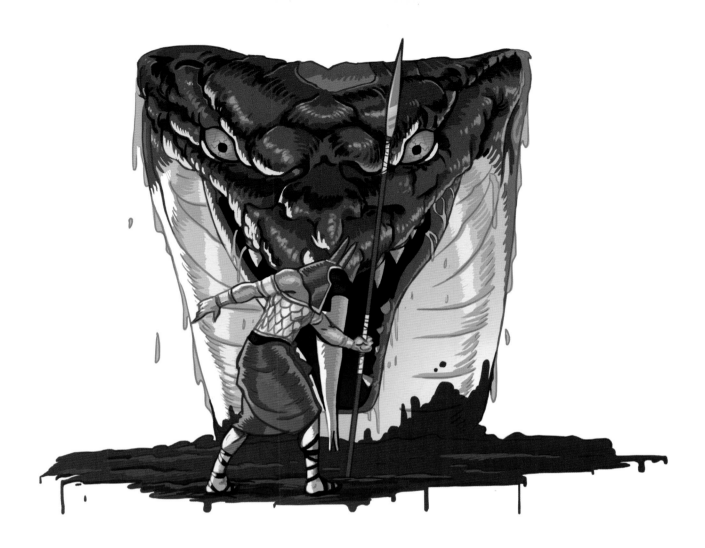

toujours grognant abominablement, achève sa proie. Empoignant son harpon, il décapite Apophis d'un coup terrible.

Rê est déjà loin. Il sait la force prodigieuse de Seth qui, chaque nuit, à ses côtés, combat le serpent maléfique. Et il connaît sa fidélité.

Sur les rives du fleuve secret se pressent maintenant des hommes portant des offrandes. Ils ont eu vent de la victoire du grand dieu et l'honorent. Parmi eux se sont glissés des ennemis, qui aiguisent leurs armes, qui tendent leurs arcs. Apophis n'est pas seul à vouloir la mort de Rê. Surgies des ténèbres, les forces du chaos le menacent à nouveau. Mais les dieux veillent. Tous armés de couteaux, de harpons. Les rebelles sont capturés, liés à des poteaux. On les torture, on les précipite dans des chaudrons. On les jette, alourdis de chaînes, au milieu de lacs de flammes. Ah, les dieux sont féroces pour qui conteste leur pouvoir !

Rê poursuit sa course, indifférent, de plus en plus flamboyant. À présent, les ténèbres se font moins épaisses. On distingue des formes massées sur les dunes proches. La plupart à tête humaine, certaines à tête de rat, de chèvre, de crocodile, d'hippopotame. D'autres encore ne sont que des ombres flottantes ou des momies. Tous sont le peuple innombrable de Rê, les dieux, les morts et les vivants. Au passage du soleil s'élève un brouhaha étrange et joyeux, ressemblant tour à tour au cri du chat, au pépiement des oiseaux, au grondement des crues du Nil. Un tumulte où vibre l'espoir du renouveau.

Car à cet instant, l'aube est proche, Madja. La lumière se fait plus vive, et, là-bas, un autre portail s'ouvre. La barque divine prend de la vitesse et le grand dieu quitte sa forme nocturne. Abandonnant son corps à tête de bélier, il prend l'apparence d'un scarabée. C'est ainsi qu'il sort dans la lumière éblouissante, bourdonnant, battant des ailes. Il est Khépri, le soleil du matin. Son visage est radieux, il a le sourire du vainqueur. Soutenu par son fils Shou, il s'élève puissamment vers l'ouest, vers un nouveau jour, un nouveau voyage.

Telle est la course du dieu soleil lorsqu'il quitte le ciel visible.

Je vais te confier un secret. Parmi les babouins qui saluent l'arrivée de Rê sur les terres obscures, il y en a un plus grand que les autres, dont l'œil rond est pareil à la lune. Ce babouin, c'est moi. Il faut bien un scribe pour décrire un voyage aussi extraordinaire, n'est-ce pas ?

OÙ ANUBIS, LE DIEU À TÊTE DE CHACAL, PÈSE LES ÂMES DES MORTS

J'ai parlé des défunts qui peuplent la Douât, dans le précédent récit. Certes, tu es bien jeune, Madja, pour penser à l'au-delà. Mais sache qu'au jour de sa mort l'homme est convoqué devant le tribunal d'Osiris. Son âme y est pesée, jugée. Mon récit conte comment le dieu des morts rend la justice.

En ce temps-là régnait un pharaon nommé Ramsès. Son fils, Setni, n'était pas seulement prince, mais aussi grand magicien. Lui-même avait un fils, Saousir, également instruit de magie. Un soir qu'ils longeaient tous deux un temple, ils entendirent des sanglots, des gémissements. C'était le convoi funèbre d'un riche dignitaire, qu'on emmenait à la nécropole, la cité des morts. Entourée de fleurs blanches, la momie reposait sur un long traîneau en forme de barque, que tiraient deux bœufs. Son sarcophage, recouvert d'or, suivait sur un chariot encombré de victuailles, de meubles. Les cheveux dénoués, criant, se frappant la

poitrine à coups de poing, les pleureuses marchaient en tête du cortège en compagnie d'un prêtre vêtu d'une peau de léopard. Derrière venaient les parents, les amis, et même quelques animaux familiers du défunt. Ah, c'était une magnifique procession, Madja !

Le hasard voulut qu'au même instant surgisse un jeune homme tirant une charrette où gisait un cadavre enroulé dans une natte de jonc. Il allait pareillement vers la rive occidentale du Nil, afin d'enterrer son père aux confins du désert.

— Voilà un pauvre homme qui sera enfoui dans le sable, dit Setni. N'est-il pas mille fois préférable d'être conduit pour l'éternité dans une tombe confortable et richement décorée ?

Saousir secoua la tête :

— Puisses-tu ne pas subir dans l'au-delà le sort de ce dignitaire, père. Et je prierai pour que tu connaisses le destin du plus pauvre.

Devant l'étonnement de son père, Souasir l'emmena vers l'une des

portes de la ville, qui conduisait au désert. Setni connaissait l'immense savoir de son fils, mais il ne soupçonnait pas ce qu'il allait découvrir.

Ils marchèrent jusqu'à la nuit tombée, silencieux comme des ombres. Soudain, alors que les étoiles commençaient à danser dans le ciel, ils virent à l'horizon une trouée plus sombre encore que la nuit.

— Voilà l'une des portes de la Douât, père, dit Souasir. Elle nous mènera au tribunal des morts.

L'instant d'après, ils la franchissaient. Un long corridor s'ensuivit, noyé de brumes épaisses qui roulaient sur le sol. Sans cesse ils entendaient des sanglots, des cris, des plaintes. Un grand portail se dressa devant eux, que Souasir ouvrit d'une simple poussée.

— Tu sembles bien connaître ces lieux, mon fils, dit Setni.

— J'y viens de temps à autre, père. Il est bon pour un magicien de fréquenter l'invisible.

« Par Rê l'enchanteur ! songea Setni, émerveillé. Mon fils est adoré des dieux. »

Ils passèrent ainsi plusieurs portails, chacun donnant accès à des salles remplies d'hommes et de femmes en proie aux plus grands tourments. Certains tressaient des cordes que des ânes dévoraient aussitôt. D'autres tendaient les mains vers des galettes de blé et des cruches d'eau tandis qu'on creusait sous leurs pieds des trous qui les faisaient tomber. Partout des cris de souffrance. Ce que Setni et Souasir traversaient, c'était les lieux où s'accomplissaient les peines de ceux que le tribunal d'Osiris avait condamnés.

Dans la cinquième salle, une foule désordonnée se pressait contre une lourde porte. Tous gémissaient, suppliaient qu'on les épargne.

— Ces gens ont commis de nombreux méfaits, père, dit Souasir. Ils ont peur du jugement.

Il montra un homme allongé sur le sol. Il hurlait de douleur, le visage ruisselant de sang. Dans son œil était fiché le pivot de la porte.

— Celui-là a été jugé. Je te dirai tout à l'heure qui il est.

Puis il entraîna son père vers les dernières salles. Peu à peu le silence se fit. Ils croisaient des personnages vêtus de lin blanc, à l'allure paisible. Certains souriaient. Enfin ils parvinrent dans l'ultime salle et Setni faillit crier de stupeur. Devant lui, dans la lueur blafarde des torches, se tenait le tribunal des morts. Quelle vision, Madja ! Setni en fut bouleversé.

Osiris était assis sur un trône recouvert de feuilles d'or. Son grand corps était emmailloté de fines bandelettes de lin. Dans ses mains croisées, il tenait ses deux sceptres, l'un recourbé, l'autre en forme de fouet.

À sa gauche se trouvait Anubis, le dieu à tête de chacal. Moi, Thot, j'étais à sa droite, muni d'une tablette de cire et d'un stylet. Tu es surprise, Madja ? C'est que je suis le greffier divin. La mémoire du monde, en quelque sorte. Sans moi, tout s'effacerait.

Dans l'ombre du mur, graves et silencieuses, étaient alignées quarante-deux divinités chargées de délibérer sur chaque cas, afin que le jugement soit équitable.

Osiris prit la parole d'une voix solennelle :

— Maât, déesse de la justice et de la vérité, fais entrer le défunt.

Une femme vêtue d'une robe pourpre surgit de l'ombre. Dans sa lourde coiffe était plantée une plume d'autruche. À son côté avançait un vieillard chétif, titubant, vêtu d'un pagne déchiré.

Souasir se pencha à l'oreille de son père :

— C'est le mort que portait son fils, tout à l'heure.

Maât s'avança vers une balance de cuivre et d'or, placée au milieu de la salle. Elle défit sa plume, la posa sur un plateau. Sur l'autre plateau se trouvait le cœur du défunt. Anubis, maître de la pesée, libéra le mécanisme et l'un des plateaux pencha vers le sol.

— Le cœur de cet homme est pur, dit-il. Voyez comme il est plus léger que la plume de Maât.

Ammout, la grande Dévoreuse, grogna de dépit. Monstre au corps de lion, à tête de crocodile, c'est elle qui avale le cœur du défunt si, lourd de mauvaises actions, il pèse plus que la plume. Je la fis taire d'un bref signe de tête et notai sur ma tablette le nom du mort ainsi que le résultat de la pesée.

Vint l'heure du jugement. Osiris se tourna vers les quarante-deux juges afin qu'ils délibèrent. Il y eut un court murmure, puis on prononça le verdict : le défunt était innocent.

— Que cet homme rejoigne les bienheureux dans mon royaume éternel, annonça Osiris.

On revêtit le vieillard d'une tunique de lin blanc et il s'en fut d'un pas ferme. Il ne ressemblait en rien au pauvre homme qu'il avait été. Son existence dans la Douât serait désormais empreinte de bien-être, de sérénité.

Le silence revint et Osiris pria Maât de faire entrer un autre défunt. Puis il se tourna vers la grande Dévoreuse, qui s'agitait, et dit :

— Patience, Ammout. Celui-là peut-être sera pour toi.

Souasir prit son père par la main et ils sortirent du tribunal. Il était temps car les vivants n'ont pas leur place au royaume des morts.

— Tu as compris, père, pourquoi je te souhaitais le sort de ce vieil homme, n'est-ce pas ?

Setni hocha la tête et serra Souasir contre lui. Heureux d'avoir un fils aussi avisé, aussi affectueux.

— Sais-tu, reprit Souasir, qui était l'homme dont l'œil servait de pivot à la porte du tribunal ? demanda Saousir.

— Je le devine, fils. Pour mériter un tel châtiment, ce dignitaire avait dû commettre de grands méfaits. Mais les autres, Souasir, tous les autres ! Sont-ils punis pour l'éternité ?

— Ammout leur a dévoré le cœur, père. Ils ne sont plus que des damnés sans âme. Leur supplice durera jusqu'au jour où le Noun recouvrira tout.

Tout en parlant, ils avaient marché vivement. Ils étaient maintenant parvenus dans le désert. Moi qui suis l'œil de la nuit, je les éclairais de ma lueur lunaire. Cependant il n'était pas dans l'ordre des choses qu'ils en sachent autant sur le monde de l'au-delà. Certaines connaissances sont dangereuses pour les hommes. Même ces deux-là.

Je prononçai une formule magique qui effaça de leur mémoire tout ce qu'ils venaient de voir et d'entendre.

Ils ne furent plus alors que des voyageurs allant parmi les dunes de sable, vers la ville lointaine. Au-dessus d'eux, le ventre de Nout, la déesse du ciel, luisait de mille étoiles.

OÙ SHOU ET GEB RÈGNENT
SUR LA TERRE D'ÉGYPTE

Prends-tu goût à mes histoires, Madja ? Je l'espère car, à présent que j'ai commencé à conter, ma langue piaffe comme un cheval fougueux. C'est que la terre d'Égypte a vécu tant d'événements qu'il me faudrait plus d'une nuit pour les raconter tous.

Je vais dire ici comment le trône d'Égypte a vacillé sous le règne de Shou, et comment il s'est consolidé sous celui de Geb, son fils. Tu vas voir qu'il n'est pas simple d'être pharaon, même lorsqu'on est d'origine divine.

Shou avait été désigné par Rê. Était-il celui qu'il fallait à l'Égypte ? J'en doute. Certes, Shou soutient Nout, la voûte céleste, de ses deux bras. Il est le maître des vents, et celui qui donne la vie. Mais il n'a pas l'âme d'un combattant. Or, dès qu'il fut au pouvoir, les forces du chaos luttèrent contre lui. Un soir d'orage, le désert fourmilla de serpents. C'était les enfants d'Apophis, Madja , le serpent monstrueux qu'affronte chaque nuit le grand dieu. Et cette terrible multitude envahit la terre d'Égypte pour y semer la mort. Hommes, bêtes, oiseaux, insectes, nul ne lui résistait. Ni même l'armée royale ! Longtemps Shou en fut désemparé, longtemps il ne sut comment combattre ces vermines immondes. Et s'il finit par les vaincre, ce ne fut qu'après avoir consulté Rê, son père. Si bien qu'au palais, courtisans, ministres, généraux et même certains dieux le critiquaient. On le disait faible, indécis. Les chiens galeux ! Ils osaient blâmer un dieu !

Tant d'arrogance méritait un châtiment. Hélas, Shou n'était pas Rê, dont l'Œil sacré foudroie quiconque veut lui nuire. Ni Seth, le guerrier au harpon de cuivre, ni Sekhmet qui jadis extermina les hommes. T'ai-je dit que l'emblème de Shou est la plume ? Au lieu de décider, en roi, il se laissait porter comme l'oiseau dans le vent.

On désirait qu'il parte ? Soit, il partirait. Il convoqua une assemblée.

— Je veux que mon jeune fils Geb monte sur le trône d'Égypte. Puisqu'il n'est pas encore en âge de gouverner, je désigne sa mère Tefnout comme régente.

Ainsi Shou termina-t-il son règne terrestre. Dès que tout fut réglé, il rejoignit Rê dans les hauteurs. Et, tel que je le connais, il en fut soulagé. Au contraire de beaucoup d'autres, Shou n'avait aucun appétit pour le pouvoir.

Tefnout avait accepté la charge et veillait sur son fils. Par Noun ! elle avait fort à faire avec lui, qui ne ressemblait en rien à Shou, son père ! Geb était l'impatience même. Le pouvoir, il le désirait, et vite ! et plus que tout ! Il voulait ordonner, bâtir, guerroyer ! Sa mère, était un obstacle. Régente du trône, quelle farce ! Comme si le petit-fils de Rê avait besoin de grandir pour gouverner. Grand, il l'était déjà. Par sa naissance, par son héritage, par sa détermination. Attendre ne lui convenait décidément pas.

Voilà à quoi songeait Geb, un soir, en arpentant le palais d'un pas rageur. Sur les murs, son ombre démesurée disait ce qu'il rêvait d'être.

— Est-ce que j'appartiens à la race des soumis, des craintifs ? Je suis Geb, dieu de la terre, je suis pharaon ! tonna-t-il soudain.

L'idée le prit de réveiller sa mère. Il pénétra dans la chambre royale et secoua furieusement l'immense lit de cèdre rouge.

— Mère ! Tu m'as conçu pour régner, non pour subir ta loi. Pars ! Laisse-moi le trône !

Tefnout fut indignée par l'attitude irrespectueuse de son fils. Mais ce qu'elle lut dans les yeux de Geb lui commanda de s'enfuir. Qui sait ce qu'un fils brutal et tourmenté peut faire ?

Elle partit sur l'heure rejoindre l'assemblée des dieux. Je me souviens de son visage blême, ravagé par le chagrin. Shou était là, qui la consola maladroitement. Il savait le caractère excessif de son fils. Nous autres dieux étions inquiets. Un règne commencé dans la violence ne présageait rien de bon.

Rê souriait. Il ne lui déplaisait pas qu'un jeune dieu aussi fougueux gouverne l'Égypte.

Au palais, Geb s'activait. Il ordonna que tous s'éveillent, se vêtent et le rejoignent dans la salle du trône. Les courtisans s'empressèrent d'obéir. Mieux valait ne pas contrarier pareille nature. Ils firent cercle autour de Geb. Devant lui se trouvait un coffre d'ébène, contenant l'emblème du pouvoir divin, le cobra sacré. Vivant, il attendait d'être placé au front du pharaon. C'était la loi. D'un geste ferme, Geb se saisit du cobra.

— Vous tous assemblés... commença-t-il.

Un jet de flammes vives l'interrompit. Le cobra venait de frapper. Geb s'écroula, la face atrocement brûlée. Le feu fut tel qu'autour de lui les courtisans se consumèrent comme des chandelles de suif. Pas un n'en réchappa.

Geb se tordait sur le sol, criant sa douleur et, sans doute, son désespoir. Le pouvoir s'était refusé à lui.

Rê avait vu ce qui s'était passé. S'il n'intervenait pas, le trône échapperait à Geb. Et qui régnerait alors ? Un dieu mineur ? Un chef d'armée ? Un des innombrables ambitieux qui encombraient le palais ? C'était hors de question. L'Égypte avait besoin d'un pharaon de lignée divine. D'abord, il fallait soigner le blessé. Sans être médecin, Rê avait un excellent remède : sa perruque ! Oui, Madja. Une perruque magique, dont les boucles d'or dansaient autour de sa tête lorsqu'il la portait.

Le grand dieu dépêcha au palais un messager porteur de l'objet sacré. Geb, prostré sur le sol, saisit la perruque et s'en coiffa. Aussitôt ses atroces douleurs cessèrent, ses chairs brûlées, ses plaies disparurent. Geb était sauvé, de même que le trône d'Égypte. La dynastie divine se poursuivrait.

Cette nuit-là, Geb avait approché la mort, et risqué son destin. Désormais il portait la perruque au cours des cérémonies, lors de ses audiences. Elle montrait à tous combien il était puissant, puisque Rê le protégeait. Cependant lorsqu'il chassait, festoyait, ou lorsqu'il dormait, Geb la confiait à des prêtres, en un sanctuaire secret. Elle était enfermée dans un lourd coffre de pierre, veillée nuit et jour. Avant chaque cérémonie, les prêtres la lavaient dans l'eau pure d'un lac proche, au cours d'une longue procession.

Survint une période néfaste, ponctuée d'affrontements avec des peuples voisins. On parlait de guerre. Les ennemis se rassemblaient aux frontières. Des troupes innombrables, disait-on, et avides de gloire. Tout en se préparant à mener son armée au combat, Geb ordonna qu'on lui ramène la perruque. Ainsi paré, il serait invincible. C'est alors qu'un groupe de prêtres surgit, en proie à une grande panique. Le tumulte était tel que Geb dut hurler pour se faire entendre.

— La perruque, par Noun ! Où est-elle ?

Un prêtre s'approcha, les lèvres tremblantes.

— Comme à l'ordinaire, ô pharaon, nous la lavions avant que tu ne la coiffes, quand elle s'est mise à grandir. Il lui est poussé un museau énorme, une longue queue et des écailles rêches sur tout le corps. Elle nage à présent dans la boue du lac.

— Tu veux dire qu'elle s'est transformée en crocodile ? éructa Geb.

— C'est exactement cela, ô fils de Shou.

Geb était consterné. Cela signifiait-il que Rê, son grand-père, l'abandonnait ? Impossible. Il se rendit aussitôt sur les rives du lac et scruta l'onde à peine ridée par le vent du sud. Rien ne remuait, sinon quelques roseaux légers. Geb attendit, immobile, les bras croisés. Toujours incrédule. Puis une gueule terrible, hérissée de crocs, creva la surface. La tête était monstrueuse, le corps remplissait le lac tout entier. Quand le crocodile se hissa sur la rive, Geb resta impassible. Au loin, les prêtres lui criaient de fuir. Mais le dieu pharaon avait reconnu le monstre : c'était Rê, qui prit alors la forme d'un faucon aux cornes de taureau.

L'oiseau divin lança un cri bref avant de s'envoler.

Geb sourit silencieusement. Il se savait assuré maintenant de la victoire. Il enfourcha son cheval déjà harnaché pour le combat. À ceux qui s'étonnaient de le voir tête nue, il répondit :

— Ma perruque sera à mes côtés, soldats. Ses ailes la porteront.

Et il lança sa monture vers l'ennemi, entraînant derrière lui la meute hurlante de son armée.

Faut-il dire ce qui s'ensuivit ? Tu le devines, Madja. Une bataille brève, farouche, où Geb bouscula l'adversaire. On le vit partout l'épée

au poing, portant des coups mortels, tranchant des têtes, encourageant ses fantassins, ses cavaliers. Volant au-dessus de lui, tantôt à gauche, tantôt à droite, le faucon frappait aussi. De son Œil sacré jaillissaient des traits de feu qui foudroyaient les guerriers. Avec de tels combattants, la défaite était impossible. Et l'ennemi, bientôt en déroute, s'enfuit comme une horde de rats.

Ce triomphe apporta à Geb une renommée immense. Qu'importe si le coffre de pierre était désormais vide. Personne ne doutait plus que Rê assiste Geb pour veiller sur la terre d'Égypte.

Quel soulagement pour nous, les dieux ! À travers Geb, nous gouvernions les hommes. Et le fils de Shou avait conquis son pouvoir de haute lutte, comme il convenait. Il fut un pharaon estimé, respecté. Régnant sur les êtres vivants, mais aussi sur les montagnes, les plantes, les vents et la mer. Geb était si puissant qu'on disait que lorsqu'il riait, la terre tremblait.

Cependant, il regrettait fort la perruque de Rê, qu'il trouvait à son goût. Il me l'a dit maintes fois. Ainsi vont les dieux ; comme les hommes ils aiment les parures qui leur donnent de l'importance. Oui, tu peux bien rire, Madja !

OÙ LES ÉGYPTIENS
ÉCHAPPENT À LA DÉSOLATION

De cette fenêtre près de ta couche, Madja, je vois les eaux paresseuses du Nil. On le dirait endormi. Mais l'été, lorsqu'il est en crue, c'est un tout autre fleuve. Il devient celui qui fertilise les terres. Celui qui vivifie l'Égypte tout entière.

Ce que je vais conter à présent va dire comment la crue du grand Nil a failli autrefois disparaître à jamais.

Ce jour-là, Rê était de fort méchante humeur. Pour trois fois rien, il se querella avec sa fille Tefnout, la déesse à tête de lionne. Chacun sait que Rê est susceptible, ombrageux même. Cette fois, il dépassa les bornes, insultant la déesse, finissant par la chasser de sa vue. D'ordinaire aimable, Tefnout s'empourpra de colère, et partit s'exiler dans le désert lointain.

J'étais là, j'assistai à la scène. Un peu plus tard, Rê m'interrogea d'un ton inquiet :

— Crois-tu que Tefnout reviendra ?

J'avais entendu, moi, les mots cinglants qu'il lui avait jetés à la face.

J'avais vu la colère luire dans le regard de Tefnout. Je la savais obstinée, capable de se venger de cet affront.

— Tu l'as blessée, seigneur.

— Par Noun ! protesta Rê. J'ai eu un mot un peu vif, voilà tout ! Arrange-moi ça, Thot. Il faut qu'elle revienne.

Le grand dieu disait vrai. L'Égypte avait besoin d'elle. Tefnout est la déesse des eaux, de la pluie, de la rosée et des nuages. De ses humeurs dépendait la crue du Nil. Chacun sait l'importance de cette montée des eaux, qui fait revivre les déserts. Tefnout espérait-elle des excuses de Rê ? Le soleil n'était pas sujet au repentir, crois-moi. Si ces deux-là poursuivaient leur fâcherie, la crue n'aurait pas lieu. L'Égypte allait dépérir, les temples se vider, les bêtes et les plantes disparaître. Rê n'éclairerait plus qu'une terre aride et sans vie.

Je partis en compagnie de Shou, le frère et l'époux de Tefnout. Peut-être saurait-il mieux que moi convaincre la déesse. Des bergers nous apprirent qu'une lionne énorme errait dans le désert, avide de chair et de sang. Sa gueule crachait du feu, disaient-ils, et dans ses yeux dansaient des éclairs. Dans la contrée, on l'appelait la Redoutable.

Voilà ce que Rê avait réussi à faire : transformer la douce Tefnout en une lionne sanguinaire. Comment allions-nous l'apaiser ? Et surtout, hâter son retour ? Je suis grand magicien, mais nulle incantation n'aurait fait céder la déesse, je le savais. C'est alors qu'une idée me vint.

— Transformons-nous en babouins. Ta sœur ne se méfiera pas de deux singes insignifiants.

Bientôt nous découvrîmes son repaire. En nous voyant, elle rugit furieusement. Ses yeux étaient striés de rouge, ses griffes labouraient le sable. La colère ne l'avait pas quittée.

— Nous ne sommes que deux humbles voyageurs, ô Redoutable. Moi, je raconte des histoires. Veux-tu les entendre ?

Tefnout hésita, puis :

— Pourquoi pas ? dit-elle. Je m'ennuie, seule avec mon dépit.

Et me voilà contant à la lionne des fables de toutes sortes, des récits cocasses où les dieux, les hommes, les bêtes s'affrontaient, se jouaient des tours. Oui, Madja, comme avec toi, ici, dans cette demeure. Je les connaissais tous, et même j'en inventai. La déesse s'en amusa, y prit goût, m'en redemanda. Shou n'était pas en reste, qui accompagnait mes histoires de chants, de rires, de danses. De même, connaissant son épouse, il ne cessait de la flatter ; louant ses yeux plus beaux qu'un ciel d'azur, sa crinière pareille à une forêt de cèdres.

Trois longs jours, trois longues nuits passèrent ainsi, qui rendirent à Tefnout sa bonne humeur, sa bienveillance. Enfin je contai une histoire qui acheva de la dérider : je décrivis, avec mille détails, ce que nous espérions tous : son prochain retour en Égypte, l'accueil chaleureux des hommes, leur allégresse, les chants qu'ils entonneraient en son honneur. Je dis les offrandes abondantes, le vin rouge qui coulerait. Je parlai des cris de joie lorsque les eaux de Nil afflueraient enfin et charrieraient la terre noire des plateaux.

Tefnout m'écouta, puis, l'œil empli soudain de malice demanda :

— Tu es Thot, n'est-ce pas ?

Un instant je craignis que, m'ayant démasqué, elle me repousse, ou balaie d'un coup de griffes le babouin que j'étais. Mais elle ne cessa de sourire et dit :

— Continue ton récit.

C'est ainsi, jeune fille, que j'apaisai la Redoutable. Quand enfin elle s'endormit, repue d'histoires, je la pris sous mon aile d'ibis et nous rentrâmes au pays.

L'accueil des hommes fut tel que je l'avais décrit dans mon récit, vif et plein d'amour. Le Nil se déversa en abondance sur les terres du delta, apportant le précieux limon noir, qui rend le sol si fertile. Rê lui-même, heureux de ce dénouement, vint au-devant de Tefnout et lui donna son bras. Père et fille étaient enfin réconciliés.

Tu vois, Madja, comment on peut, avec des contes et des récits, calmer les plus terribles colères. Les mots, on ne le sait pas assez, pansent parfois les pires blessures.

OÙ ISIS LA MAGICIENNE RUSE AVEC RÊ

L'histoire que je vais conter à présent est peu connue, car elle n'est pas à la gloire de Rê. Il s'agit d'un des innombrables affrontements opposant les dieux, qui aiment rivaliser les uns avec les autres, comme tous les puissants. J'évoquerai ici comment Isis, sœur et épouse d'Osiris, obligea le vieux Rê à lui révéler son nom secret. À cette époque lointaine, le dieu soleil régnait encore sur la terre d'Égypte.

Habile magicienne, Isis est celle qui redonne la vie aux défunts. On l'appelle la Maîtresse de la vie. Parmi l'assemblée des dieux, elle était la plus ambitieuse. La toute-puissance de Rê l'éblouissait. Voilà longtemps qu'elle souhaitait égaler le grand dieu, partager son immense pouvoir.

Et que voyait Isis ? Un Rê affaibli par l'âge, dont les yeux larmoyaient comme ceux des vieillards. Son pas était moins vif, sa parole plus incertaine. N'était-ce pas le moment de lui disputer le trône ?

Avant que je poursuive, Madja, sache ceci : dieu ou homme, chacun possède un nom secret, qu'il est le seul à connaître. Ce nom est comme une clé de l'âme, un moyen de la pénétrer. Ainsi celui qui le découvre peut s'en servir contre son possesseur. Surtout s'il est magicien. Chacun le dissimule donc au plus profond de son cœur.

Isis n'ignorait rien de la chose, évidemment. Mais comment forcer le grand dieu à révéler son nom secret ? L'âge avait beau lui peser, Rê était encore assez vigoureux pour préserver son mystère. C'est pourquoi Isis l'épiait sans cesse, attendant le bon moment pour agir.

Un jour, elle le surprit dormant à l'ombre d'un palmier. Il se reposait avant d'entamer une nouvelle fois sa course dans les cieux. Comme il avait la bouche ouverte, un filet de salive coula jusqu'à terre. Isis recueillit entre ses mains le précieux liquide. Puis, elle ramassa de l'argile sur les rives du Nil et pétrit le tout. De ses doigts habiles naquit un serpent mince comme le doigt, auquel sa magie donna vie. Déjà il ondulait et agitait sa langue entre ses deux crochets, cherchant à mordre. Mais Isis l'apaisa d'un geste et l'enfouit dans le sable. Qu'il guette le passage de Rê et qu'il le morde. Telle était sa mission.

Le sort du grand dieu était fixé.

À son réveil, Rê s'avança vers la barque divine où l'attendaient ses compagnons. Le sable remua à ses pieds, et une douleur atroce cingla sa chair. Le serpent avait frappé. Rê s'affaissa, ses mains enserrant sa cheville blessée. Il souffrait comme jamais. Il lui sembla qu'un brasier s'était allumé en lui et le consumait. Il poussa un cri qui transperça l'air brûlant, fit trembler la voûte céleste.

Les dieux accoururent, effarés. Ils se bousculaient autour du dieu soleil allongé sur le sol et qui suppliait qu'on le soigne. J'étais là, moi aussi, qui suis grand magicien. Je lançai des sortilèges contre le mal, j'usai de prières connues de moi seul. Mais, comme les autres, malgré mon immense savoir, je dus constater mon impuissance.

Tu as l'air surprise, Madja. Crois-tu que les dieux sont immortels ? Oui ? Tu te trompes. Certes ils peuvent vivre éternellement, mais il leur arrive d'être en grand danger. Certains ont trouvé la mort. Rê lui-même n'est pas à l'abri de cette loi.

Je m'avançai et dis :

— Tu es victime d'un terrible maléfice, ô Rê. Un poison s'est glissé en toi, invisible et mortel. Nul ici ne peut te soulager.

C'est alors que surgit Isis. Elle écarta les dieux, s'agenouilla auprès de Rê et lança, d'un ton plein de compassion :

— Ô roi de l'univers, je suis venue dès que j'ai su ton état. Tu connais la force de ma magie. Par elle, je peux tout.

— Fais vite, marmonna Rê. Mon corps tremble, je suis glacé autant que je brûle. Mes yeux ne voient plus. Je sens mes forces faiblir peu à peu.

Isis s'empressa autour du dieu. Quelle splendide comédienne ! Usant d'incantations, de formules magiques, elle traça sur le sol des signes mystérieux. Elle agita des amulettes, badigeonna d'onguents la cheville blessée. Évidemment cela n'eut aucun effet et bientôt elle murmura à l'oreille de Rê :

— Le poison est si violent, seigneur, qu'il me faut recourir à la magie suprême, celle contenue dans ton nom secret. Dis-moi ce nom et je saurai te soigner.

Rê sursauta. Voilà bien la dernière chose à laquelle il s'attendait. Son nom secret ! S'il le révélait, il serait sous l'emprise d'Isis. Il refusa.

La déesse se releva en soupirant :

— Ce refus t'honore, ô Rê. Il montre que tu préfères mourir plutôt que divulguer un secret.

Le grand dieu protesta. Il voulait guérir, mais avec dignité, sans ouvrir son âme et son cœur, fût-ce à sa petite-fille !

— Ne suis-je pas le dieu suprême ? tonna-t-il. Celui qui a créé toutes choses ? J'ai droit à des égards, il me semble !

Isis de nouveau s'agenouilla près du blessé et siffla, d'une voix dure :

— Prends garde. Il est en mon pouvoir de te faire souffrir plus encore.

Rê blêmit, comprenant soudain d'où venait le maléfice. Il plongea son regard dans celui d'Isis et y lut une froide détermination. Il sut alors qu'il n'échapperait pas au piège qu'Isis lui avait tendu. À moins qu'il ruse à son tour.

— J'ai de multiples noms. Tu trouveras parmi eux celui que tu cherches. Écoute : je suis le créateur des deux horizons, l'architecte des plaines et des montagnes, je suis celui qui contrôle les inondations, celui qui crée la lumière du jour, le tisserand des heures et des jours, l'artisan...

— Assez ! coupa sèchement Isis. Me prends-tu pour une de ces oies qui t'entourent et qui se régalent de tes fanfaronnades ? Je veux ton nom secret, pas tes titres de gloire !

Et, pour bien montrer qu'elle ne plaisantait pas, elle récita une formule magique. Instantanément la douleur dans la jambe du dieu se fit plus vive et il sentit le poison cheminer en lui.

— Approche ton oreille de ma bouche, grogna-t-il.

D'un geste il congédia l'assemblée des dieux, afin qu'aucun d'entre eux n'assiste à sa défaite. Puis Isis se pencha et recueillit le secret tant désiré. Rê savait qu'il était désormais à la merci de la déesse. Il la supplia de ne jamais divulguer ce nom.

— Seul Horus, mon fils né d'Osiris, le connaîtra. Nous n'en userons pas contre toi. Je le promets, seigneur. Aie confiance.

Confiance... Par Noun ! Dans la bouche de celle qui venait de tromper le roi des dieux, c'était d'un drôle ! La déesse disait vrai, cependant. Elle ne trahirait pas Rê. Mais par sa ruse elle avait obtenu ce qu'elle désirait : se rapprocher du pouvoir.

Elle prononça une incantation qui chassa le poison brûlant du corps de Rê. Le grand dieu se sentit revivre. Ses yeux, qui n'étaient plus que deux fentes aveugles, virent à nouveau ; sa jambe reprit peu à peu sa couleur dorée. Il respirait mieux.

Tu te demandes, Madja, ce qui serait advenu si Rê n'avait pas cédé à Isis ? Eh bien, ceci : l'univers aurait été plongé soudain dans des ténèbres glaciales. Rien qu'à l'évoquer, il me vient un grand frisson dans tout le corps et ma gorge se noue. Pas toi ?

OÙ UN MAGICIEN PARTAGE L'EAU D'UN LAC EN DEUX MOITIÉS

Par bonheur, la magie n'est pas toujours au service des ambitieux ou des canailles. Elle peut être bienfaisante.

Ce que tu vas entendre à présent t'amusera peut-être. Je vais conter comment le grand magicien Djadjaemankh a retrouvé le bijou perdu d'une jeune fille.

C'était à l'époque lointaine d'un pharaon nommé Snéfrou. Il vivait dans un palais somptueux, cerné de jardins parfumés, au milieu de courtisans qui s'appliquaient à satisfaire le moindre de ses caprices. Danseuses, musiciens, festins, rien ne manquait à ses plaisirs. Mais les hommes ne sont jamais satisfaits, Madja ! Le pharaon Snéfrou n'avait goût à rien. Il errait parmi les salles de son palais en se lamentant sur son sort. Rencontrant sur le parvis d'un temple le prêtre Djadjaemankh, il lui fit part de son immense ennui.

— Je comprends ton chagrin, dit le prêtre. Tu as besoin d'une distraction exceptionnelle. Laisse-moi y remédier.

Djadjaemankh était un homme d'un grand savoir et surtout il

connaissait les inclinations de son souverain. Il fit chercher dans la ville vingt jeunes filles d'une grande beauté. Leur corps était plein de grâce, leurs cheveux finement tressés. Aux poignets, aux chevilles, elles portaient des bracelets ciselés qui tintaient lorsqu'elles marchaient. Nul ne les voyait sans être ébloui. Djadjaemankh les présenta au pharaon en disant :

— Vois, seigneur. Ces jeunes filles vont te donner le plus beau spectacle qui soit.

— Les danses me lassent, prêtre.

— Elles ne danseront pas, ô fils de Rê. Elles rameront pour toi sur le grand bassin du palais.

Snéfrou applaudit. À coup sûr, le spectacle égaierait sa mélancolie.

On apporta aux jeunes filles des avirons faits d'ébène et entièrement

recouverts d'or. Chacune empoigna le sien et grimpa dans la longue barque amarrée au bord du bassin. Djadjaemankh les engagea à frapper l'eau aussi doucement que possible, afin que la barque puisse glisser en silence. Il ne fallait pas troubler le plaisir du pharaon.

De la terrasse du palais où il les contemplait, Snéfrou était ravi. Ces vingt rameuses le comblaient. Leurs mouvements étaient si gracieux, si aériens qu'ils agitaient à peine les voiles transparents dont elles étaient vêtues. La barque avançait harmonieusement, sans faire la moindre vague. Les avirons semblaient caresser l'eau.

Soudain, l'une des jeunes filles cessa de ramer et le bateau, qui filait si bien, ralentit, puis s'arrêta.

— As-tu perdu l'esprit ? cria Snéfrou. Rame donc !

— Impossible, ô pharaon, dit la jeune fille. Je viens de perdre ma boucle d'oreille ; au fond du bassin !

L'explication surprit le roi, qui éclata de rire.

— Une boucle de turquoise, seigneur, en forme de poisson ! insista la rameuse.

Le rire de Snéfrou redoubla.

— Eh bien, ce petit poisson nage où bon lui semble, à présent. Rame, ma belle. Tout à l'heure, je t'offrirai douze paires de boucles d'or et d'argent.

Dressée dans la barque, empourprée de colère, la jeune fille tapait du pied.

— Je me moque de tes bijoux ! Je veux récupérer le mien, que j'adore. J'y tiens plus que tout.

D'ordinaire, Snéfrou aurait peut-être fait bastonner l'effrontée. Par Noun, cette chipie lui tenait tête, à lui, le fils de Rê ! Mais ce jour-là, le

roi était de bonne humeur. Il appela Djadjaemankh et lui conta l'affaire en riant.

Le prêtre était aussi grand magicien. Il vit là une occasion de plus pour distraire le pharaon. Se tournant vers le bassin, il prononça une formule magique ; une moitié de l'eau s'éleva en l'air, comme si on l'avait tranchée à la manière d'un pain, et vint se poser sur l'autre moitié. La barque flottait tout là-haut, à une hauteur de vingt-quatre coudées ! Cramponnées à leurs avirons, les rameuses hurlaient de peur. La masse d'eau tremblait, vacillait de droite et de gauche. C'était un grand prodige.

Puis, sous les yeux ébahis de Snéfrou, Djadjaemankh alla paisiblement, à pied sec, ramasser le bijou. Quand, grâce à une autre formule magique, les deux moitiés du bassin eurent retrouvé leur place, le prêtre rendit la boucle d'oreille à la rameuse. Cette fois, elle resta muette de bonheur. Djadjaemankh claqua dans ses mains et lança :

– Maintenant, que la barque poursuive sa course.

Et, tandis que Snéfrou, radieux, applaudissait à tout rompre, les vingt rameuses firent à nouveau danser leurs avirons. Jamais le pharaon n'avait passé une journée si plaisante. Il loua Djadjaemankh pour son grand talent et lui fit porter quelques corbeilles de pierres précieuses et son poids en or. C'est que distraire le pharaon de son ennui est un service inestimable !

Je vois tes yeux s'arrondir. Rassure-toi, petite Madja. Moi, Thot, prince des magiciens, je ne te demanderai rien pour t'avoir divertie. Ton seul sourire me suffit.

OÙ ISIS RESSUSCITE OSIRIS, SON CHER ÉPOUX ASSASSINÉ

Veux-tu que je fasse une pause, Madja ? Je pourrais rendre visite à Mékétrê, ton père, qui travaille encore dans son cabinet. Je vois que tu protestes. Tu aimes donc mes histoires ? Bien, je poursuis. Mon prochain récit sera tissé d'amour et de haine, des sentiments qui sont le plus souvent étroitement mêlés. Il dira l'abominable crime qui sépara Isis de son époux, Osiris, et comment la déesse sut le ressusciter.

J'évoquerai d'abord Osiris, fils de Nout et de Geb.

Ainsi que ses frères et sœurs, Osiris était né durant les cinq jours que j'avais créés autrefois à la demande de Nout. C'était l'aîné. À ce titre, il était l'héritier du trône d'Égypte, que Geb venait de quitter, après un très long règne.

Osiris était un géant. Sais-tu qu'il mesurait plus de huit coudées ! Pour scruter son visage, chacun devait lever haut la tête. Il aurait pu n'être qu'un colosse brutal, avide de batailler, mais c'était tout le contraire : Osiris était paisible, prudent. Et judicieux : ce fut moi, Thot, qu'il choisit comme vizir, ainsi que Rê l'avait fait avant lui. Il s'entoura de dieux connus pour leur sagesse, leur intelligence ; tels Hou, le dieu du verbe, ou Sia, celui de la pensée. Lesquels, souviens-toi, accompagnent Rê lors de son voyage nocturne.

À la lance il préférait la parole ; expliquer, convaincre lui semblait supérieur à la violence. Au lieu d'une armée de soldats, ce furent des laboureurs et des bergers qu'il emmena avec lui en campagne. En leur compagnie, il enseigna partout aux hommes à ensemencer la terre, à soigner les troupeaux, à planter les vignes, à faire le vin. L'eau bienfaisante, les vents, les bêtes et les plantes n'avaient pas de secrets pour lui. Il leur parlait comme à des amis fidèles. C'est lui qui édictait les lois, afin de freiner l'attirance des hommes pour le crime et le désordre. Naturellement, il leur apprenait aussi à honorer les dieux, à bien choisir leurs offrandes.

À l'inverse de son père Geb, qui avait pris le pouvoir par la force, Osiris s'imposait par sa tolérance, son habileté à écouter et à se faire entendre. Pour cela il était aimé de tous. Comme l'était également Isis, sa sœur et son épouse, avec laquelle Osiris partageait le trône. Elle était son égale. Ses talents de magicienne, sa beauté, sa taille aussi, qui surpassait celle des autres déesses, suscitaient l'admiration. Lorsque son époux était éloigné du palais, elle dirigeait le royaume d'une main ferme. Nul ne contestait son autorité.

Osiris et Isis s'aimaient, d'un amour puissant et ancien. On disait qu'ils s'aimaient déjà dans le ventre de Nout, leur mère. Lorsqu'ils paraissaient en public, leurs mains se joignaient souvent, ils échangeaient des regards complices.

Leur histoire commença ainsi, dans l'harmonie. Ils étaient heureux. Les dieux, le peuple, les prêtres, les courtisans, tous les respectaient.

Et ce bonheur faisait enrager certains. Oh, pas n'importe qui, Madja ; je parle notamment de Seth, leur frère.

J'ai déjà évoqué ce dieu à la chevelure rousse, maître des déserts et des orages. Lui aussi est un colosse. Sa tête aux longues oreilles, son museau courbé, sa queue fourchue, tout en lui est étrange. On le craint. Tu sais que, chaque nuit, il est à côté de Rê pour le défendre des attaques du serpent Apophis. Il est célébré pour cela.

Mais là, au palais ! Là, il fut celui par qui le malheur arriva. Osiris, ce frère adulé par son peuple, à qui tout réussissait, Seth le haïssait. « Pourquoi, songeait-il, Geb, notre père, a-t-il nommé pharaon cet intarissable bavard, ce laboureur, ce meneur de troupeaux ? Pourquoi ne pas m'avoir choisi, moi ? Le pouvoir, c'est l'affrontement, la violence. Seul un guerrier est digne du trône d'Égypte. Les conquêtes se font par le fer et le feu, dans le sang ! Nullement avec des mots ! »

À ce dépit s'ajoutait une jalousie de mari. La rumeur disait que Nephtys, sa sœur et son épouse, avait passé une nuit avec Osiris. Le bel

Osiris si aimé des femmes ! Lui prétendait avoir confondu Isis avec sa sœur et que, croyant aimer l'une, il avait aimé l'autre. « Mensonge ! pestait Seth. Tromper son propre frère ! Quelle traîtrise ! Et Osiris qui parade devant moi, qui m'appelle "mon cher frère". Le fourbe ! »

Voilà pourquoi, rongé par la rancœur, Seth méditait un piège pour renverser Osiris. Ce dernier, tout à sa tâche gigantesque, ne se doutait de rien. Si bien qu'un soir, convié à un banquet par son frère, il s'y rendit, heureux d'échapper un moment à sa charge royale. Il y avait là quelques musiciens, des danseuses gracieuses, légères. Les plats étaient succulents, les parfums étourdissants. La soirée s'annonçait plaisante. Osiris s'amusait, comme les autres.

Soudain, quatre serviteurs surgirent dans la salle, portant un énorme coffre de bois précieux. Aussitôt, le silence se fit, car l'objet attirait tous les regards. Par Noun, il y avait de quoi ! Le couvercle délicatement ouvragé scintillait d'or et de turquoise, les flancs étaient sertis d'argent, incrustés de pâte de verre. Une merveille. On faisait cercle autour du coffre, on s'extasiait. Tous auraient voulu le posséder. Seth s'avança et, d'un ton enjoué, lança :

— Je vous convie à un jeu, mes amis. Celui dont la tête et les pieds toucheront les deux extrémités du coffre, celui-là pourra l'emporter.

Dans un tumulte joyeux, on ouvrit le coffre et, à tour de rôle, chacun s'y allongea, tendant les bras, les jambes, s'étirant le plus possible. En vain car le coffre était immense. Seth appela son frère, resté à l'écart. Qu'importait à Osiris ce coffre ! Mais puisque Seth insistait, il s'y coucha. Un sourire lui vint, car il en remplissait exactement l'espace.

Par Rê tout-puissant ! Quelle naïveté ! Sitôt le dieu à l'intérieur, les convives avaient bondi et rabattu le couvercle sur lui.

— Tu es vainqueur, mon frère ! hurla Seth. Ce coffre t'appartient pour l'éternité !

Et il ordonna qu'on ferme le couvercle de mille clous puis qu'on le scelle de plomb fondu. Osiris était enchâssé dans ce qui allait être son cercueil. Conduit jusqu'aux rives du Nil, le coffre fut jeté dans le courant. Il s'éloigna lentement sous le regard brûlant de Seth, enfin débarrassé de son rival détesté. Nul doute que les eaux allaient engloutir son frère et le noyer à jamais.

C'en était fini du règne d'Osiris, qui avait duré quatre siècles. Seth, le dieu roux, monta sur le trône d'Égypte, comme il l'avait toujours rêvé. À l'harmonie installée par Osiris allaient succéder le désordre et la violence, la guerre, le crime ; tout ce que Seth portait en lui, et qui annonçait le chaos.

Les dieux et les hommes pleurèrent la mort d'Osiris. Au désespoir de perdre un grand pharaon, un dieu juste et sage, s'ajoutait un terrible désastre : celui qui permettait aux jeunes pousses de transpercer le limon noir et fertile des rives de Nil, celui-là n'était plus. Seth régnant, nul n'ignorait que les vents chauds assécheraient les marais du delta, que le désert s'étendrait partout.

Les cieux s'assombrirent. Rê tardait à apparaître le matin, à l'est. Nout et Geb criaient de douleur devant leur fils assassiné. Et le Nil, qui avait charrié le dieu, qui l'avait avalé malgré lui, le Nil déchaînait ses eaux furieuses et emportait tout sur son passage, bateaux, bêtes, arbres, hommes ! Moi, Thot, je flottais tristement parmi les étoiles pâlissantes.

L'univers tanguait, l'univers menaçait d'être à nouveau englouti dans le chaos primitif. Ce qu'Apophis le serpent n'avait pas réussi à faire, Seth l'insensé risquait de l'accomplir.

Voilà les fruits terribles du meurtre d'Osiris.

Et Isis ! Isis, la sœur, l'épouse aimante ! Songe, Madja, à son chagrin immense. Pendant les jours suivant la mort de son bien-aimé, elle fut anéantie. On la vit errer dans les jardins du palais, blême, le regard vide. Puis elle se reprit. Certes, elle n'était plus souveraine, puisque Seth l'avait chassée du trône. Mais n'était-elle pas grande magicienne ? La pensée lui vint qu'elle pouvait retrouver le corps de son époux et – qui sait ? – le faire revivre. L'espoir la saisit et elle partit sur-le-champ. Nephtys, sa sœur fidèle, l'accompagnait. Elle était pourtant l'épouse de Seth, mais le crime sordide de son mari lui répugnait.

D'ailleurs, Isis et elle avaient un secret commun : après la nuit passée avec Osiris, Nephtys avait accouché d'un fils. S'il l'avait appris, Seth aurait tué l'enfant. Isis s'était alors proposée pour le nourrir et l'élever. L'enfant se nommait Anubis. Il est le dieu à tête de chacal, celui qui embaume les morts. Il apparaîtra dans ce récit un peu plus tard.

Voilà les deux sœurs cheminant à travers le royaume. Mais où chercher ? Le coffre renfermant le corps d'Osiris était-il en terre d'Égypte ? L'avait-on emmené aux confins du désert ? Mystère. Longtemps, elles allèrent de vallée en vallée, traversant les plaines, questionnant chaque promeneur, chaque paysan. Jusqu'au jour où elles croisèrent des enfants au bord du Nil. Ils leur racontèrent avoir vu passer sur l'eau un immense coffre en bois, alors qu'ils jouaient parmi les roseaux.

Il fallait donc aller vers la mer.

Isis et Nephtys descendirent alors le fleuve sacré. Dans les marais

du delta, où le Nil déploie ses bras multiples, elles se séparèrent. À vrai dire, elles se transformèrent toutes deux en oiseaux, afin que rien n'échappe à leur vigilance. Suivons Isis, si tu le veux bien.

Elle parvint jusqu'à la mer sans trouver trace du coffre. Suivant les courants qui filaient vers l'est, elle longea les côtes, explora les îles, les récifs. De temps à autre elle reprenait forme humaine et interrogeait inlassablement les gens. C'est ainsi qu'elle entendit une étrange nouvelle : il y avait dans le palais royal de Byblos, en Phénicie, une colonne en bois de tamaris si large qu'à elle seule elle soutenait les voûtes du toit. Le tamaris étant d'ordinaire de petite taille, Isis se douta qu'il y avait là quelque chose de surnaturel. En outre, l'abattage de l'arbre était récent, disait-on.

Elle vola jusqu'au palais et, par une grande ouverture, aperçut l'énorme colonne. Son cœur battit à tout rompre. Nul doute que son cher Osiris était enfermé dans l'arbre. Isis le pressentait de toute son âme. Il fallait qu'elle s'en assure, cependant. Et sans hâte, car il ne servait à rien de brusquer les choses.

La déesse s'introduisit à la cour. Elle avait enduit son corps de parfums magiques, si enivrants que tous tombèrent sous son charme. Ainsi la reine de Byblos en fit-elle la nourrice de son fils. Quelques jours passèrent, pendant lesquels Isis allaita l'enfant de son doigt flamboyant. Oui, c'est ainsi que les déesses nourrissent leurs petits, Madja. Aussi brûlait-elle chaque nuit ce que l'enfant royal avait de mortel en lui, comme s'il avait été son propre fils.

Lorsqu'il dormait, elle devenait hirondelle et voletait autour de la colonne. Croyait-elle qu'Osiris vivait encore ? Peut-être. Écoute-la lancer des petits cris d'amour en tournoyant près de l'arbre. Mais le tronc immense restait muet. Son époux était là, pourtant, elle en avait la certitude.

Une nuit, alors qu'Isis allaitait le prince, la reine surgit, alertée par le rougeoiement des flammes. Horrifiée, elle tenta de lui arracher l'enfant. La déesse protesta :

— Ne veux-tu pas que ton fils soit immortel ?

La reine était trop bouleversée pour comprendre ce que cela signifiait. Elle ordonna que les gardes tuent la nourrice. Le palais résonna du pas lourd des soldats. Isis fit face aux lances qui la menaçaient et révéla sa nature divine dans un tournoiement de fumée et d'éclairs. Chacun se prosterna devant la fille de Nout. D'une voix douce, tout en caressant la tête de l'enfant, la déesse expliqua la raison de sa présence.

Au nom d'Osiris, l'assistance fut frappée de stupeur. Quoi ? La colonne de tamaris abriterait le dieu ?

On appela le roi, qui commanda qu'on fende aussitôt le tronc. Mais Isis n'avait nul besoin de hache. Elle prononça une incantation magique dont les mots secrets firent s'ouvrir l'arbre. Le coffre apparut, niché au creux du bois. Sans effort, Isis s'en saisit et, doucement, le déposa au sol. Autour d'elle, le silence se fit. Tous contemplaient avec respect le coffre où gisait le dieu. Puis le roi proposa à Isis une escorte armée pour protéger le retour de la dépouille en terre d'Égypte. Isis refusa. Elle voulait être seule à veiller sur son époux. À peine accepta-t-elle que quatre hommes portent le coffre.

Le cortège chemina de longs jours, jusqu'à parvenir dans le delta du Nil. C'est là qu'Isis souhaitait ses retrouvailles avec Osiris. Elle congédia d'un geste les porteurs puis ferma les yeux, le cœur palpitant. Voilà si longtemps qu'elle espérait ce moment, et il était arrivé.

Il suffisait d'ouvrir le coffre. Isis savait les formules magiques qui arrachent les clous, qui font couler le plomb. Le couvercle céda vite. La déesse se pencha, avec dans la gorge un poids si lourd qu'elle crut s'évanouir.

Osiris était allongé paisiblement, comme s'il dormait. Ses yeux étaient clos. Sur ses lèvres flottait un sourire mystérieux.

Isis se jeta sur la poitrine de son époux en criant son nom. D'une voix secouée de sanglots, elle le supplia de s'éveiller. Mais Osiris pétrifié par la mort ne l'entendait pas. Elle caressa ses mains, son visage puis s'écroula, suffoquant de douleur.

Longtemps elle resta ainsi, effarée, le regard fixe. Enfin elle se

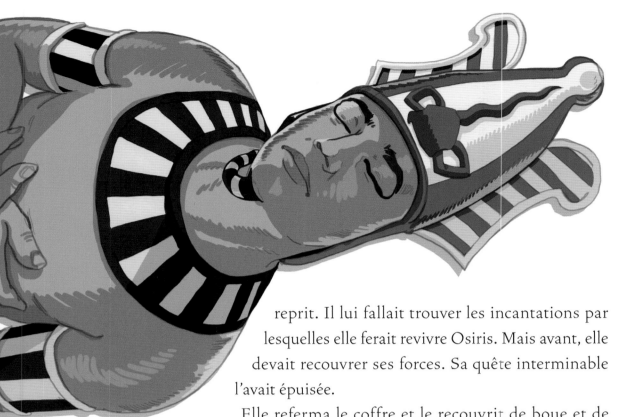

reprit. Il lui fallait trouver les incantations par lesquelles elle ferait revivre Osiris. Mais avant, elle devait recouvrer ses forces. Sa quête interminable l'avait épuisée.

Elle referma le coffre et le recouvrit de boue et de feuilles. Puis elle s'envola avec ses ailes d'oiseau, rassurée. Qui aurait pu découvrir Osiris dans ce lieu inconnu, ainsi dissimulé parmi les roseaux ?

Qui ? Par Rê ! celui-là même qu'Isis fuyait à tout prix. Seth l'assassin ! Une nuit qu'il chassait dans les marais avec sa meute de chiens, il passa devant le tumulus de boue et de feuilles. Voyant ses bêtes s'y presser, couinant, fouillant la terre, il s'approcha, intrigué. Le coffre fut vite dégagé, ouvert. À la vue de son frère, qu'il croyait englouti à jamais ou dévoré par les crocodiles, Seth écuma de rage. Il tira son poignard et, saisissant le cadavre d'Osiris, le découpa en quatorze morceaux. Comme il l'aurait fait d'un bœuf, Madja ! Puis, dans une course furieuse, il les dispersa à travers l'Égypte, les jetant à l'eau, les enfouissant sous terre ou parmi les pierres du désert, les précipitant dans des gouffres profonds.

Voilà le second crime de Seth. Il était plus terrible encore, puisqu'il empêchait Osiris d'avoir une sépulture décente.

J'éclairais la terre cette nuit-là et rien ne m'échappa. J'envoyai à Isis des messagers. Je prévins Rê, ainsi que l'assemblée des dieux. Tous étaient consternés et maudissaient Seth pour son atroce forfait. Mais il était pharaon et dieu ; on ne pouvait rien contre lui.

À peine sut-elle l'effarante nouvelle que la déesse se mit à la recherche des morceaux épars d'Osiris. Je lui prêtai mon œil nocturne, lui permettant ainsi de poursuivre sa quête de jour comme de nuit. Nephtys était à ses côtés, ainsi qu'Anubis, son fils. Ils sillonnèrent une nouvelle fois l'Égypte immense. Parfois sous forme humaine, parfois sous forme d'oiseaux, volant haut dans le ciel ou suivant le cours du Nil, les deux sœurs parvinrent à retrouver le corps tout entier, ou presque. Seul manquait son sexe, avalé par un poisson.

Anubis, lui, rassembla précieusement les restes du dieu dans une enveloppe de papyrus. Sa besogne était rude car les chairs étaient en décomposition, assaillies d'une nuée de mouches.

Isis entreprit ensuite de redonner à Osiris sa forme première. Elle implora le secours de sa mère, Nout. La déesse aux longs bras relia avec un fil d'argent les os de son fils. Puis Anubis, le dieu à tête de chacal, s'avança.

Moi, j'éclairais la scène d'une lueur pâle.

Anubis fit sécher le cadavre afin que les liquides s'écoulent. En se répandant, ils ensemencèrent la terre, grossirent les eaux du Nil, firent surgir l'orge et l'épeautre sur les rives du fleuve.

— Vois, Nout ! cria Isis. Ton fils déjà renaît et dispense la vie autour de lui.

C'était vrai. L'univers frémissait, je le vis aux étoiles dont l'éclat grandissait ; je l'entendis aux murmures des dieux qui s'agitaient.

Maintenant Anubis enduisait d'onguents et d'huile le corps divin. Lentement, car il fallait que les parfums et les aromates pénètrent les chairs. Puis il entoura chaque membre d'une fine bandelette de lin, avec une grande régularité, sans oublier la moindre parcelle de peau. Il enveloppa le tronc d'Osiris, ses épaules, son cou. Voilà le dieu momifié. Son corps était semblable à celui qu'il avait été autrefois. Presque semblable : Isis, puisant sur la rive du Nil, avait fabriqué un sexe d'argile, puisque celui-ci manquait. Le dieu était de nouveau lui-même.

Alors, prenant la forme d'un ibis, je volai jusqu'à eux, qui contemplaient Osiris. Nout, maternelle et attentive ; Anubis aux mains puissantes, Isis et Nephtys fixant tendrement le corps emmailloté de blanc. Je vins car j'étais le vizir d'Osiris, ne l'oublie pas. Je vins, car je savais que nous ne serions pas trop de trois pour redonner vie au dieu. Étant magicien, je connaissais les sortilèges nécessaires. Pendant que j'officiais, les deux sœurs se changèrent en éperviers et se mirent à tournoyer au-dessus du défunt. Leurs quatre ailes fouettaient l'air autour de lui. Un vent se leva et s'empara d'Osiris, qui tressaillit. Sa poitrine se souleva, il respirait ! Il vivait à nouveau, Madja ! Isis se posa sur lui, pleine d'amour. Ils s'unirent. Lui, le dieu assassiné, elle, la déesse aux ailes battantes. Ils s'unirent et conçurent un fils, qu'on nommerait Horus. N'était-ce pas prodigieux ? À nous tous, avec nos pouvoirs immenses, nous avions réussi l'impossible !

Pourtant la magie ne put faire se lever Osiris. Après ce bref retour à la vie, les ténèbres de nouveau le saisirent. Il redevint un corps immobile, aux paupières closes. Je l'emportai bientôt sous mon aile vers la Douât, où il règne désormais sur les défunts.

Mais l'amour avait vaincu la mort. Dans le ventre d'Isis remuait déjà celui qui vengerait le crime de Seth. La déesse n'était plus seule.

Elle enlaça une dernière fois son cher époux, longuement.

Puis, toujours accompagnée par sa sœur, elle chercha où accoucher de son fils. Ce serait sur un îlot enfoui parmi les roseaux, où nul regard ne viendrait la surprendre. Il fallait que la naissance d'Horus reste ignorée de tous.

C'est ainsi qu'elle enfanta, au petit matin, alors que Rê, sous la forme de Khépri, le dieu scarabée, surgissait à l'est. Et, tandis qu'elle allaitait son fils en lui donnant son

doigt à téter, Isis songeait déjà à sa vengeance. Le combat contre Seth serait terrible, elle s'y préparait.

Comme tu le vois, la suite de mes récits n'aura rien d'aimable. Je me demande même si je dois te les conter, tant ils sont rudes et tumultueux. Après tout, tu es bien jeune. Tu ris ? Il n'empêche. Je vais demander son avis au noble Mékétrê, ton père. Il saura me dire s'il convient que je poursuive.

OÙ HORUS BATAILLE
CONTRE SETH,
LE DIEU ROUX

T'es-tu assoupie, Madja ? Non ? Il te tardait que je revienne, dis-tu. C'est que j'ai discuté avec ton père à propos du plan d'un tombeau, qu'il va construire pour Siptah, votre pharaon, dans la Vallée des Rois. Nous n'étions pas d'accord sur certains calculs, et j'ai dû convaincre Mékétrê de ses torts. Il m'écoute, fort heureusement.

Concernant mes récits, il m'a prié de continuer. Il dit que ton esprit a faim de tout savoir. Soit, allons plus loin.

Je vais dire maintenant la lutte longue et féroce entre le puissant Seth et le frêle Horus, fils d'Osiris. L'un avait usurpé le trône, l'autre voulait le reconquérir.

Ainsi, Seth régnait. Osiris écarté, nul ne pourrait lui reprendre le trône, pensait-il. Il gouvernerait l'Égypte jusqu'à la fin des temps, tel était son destin. N'avait-il pas coiffé la couronne royale, sur laquelle se dresse le cobra sacré ? N'était-il pas fils de Geb et de Nout, petit-fils de Rê ? Qui pouvait contester son pouvoir ?

C'est alors qu'il apprit l'incroyable : un enfant était né d'Isis ! Un enfant engendré par le défunt Osiris ! « Par Khnoum ! Encore une ruse de cette magicienne », rugit Seth, saisi d'une fureur noire. Son souffle se fit vent, un vent brûlant qu'il exhala comme un poison sur le pays. La tempête de sable qui s'ensuivit fut si violente qu'elle asséchant jusqu'au Nil, le fleuve sacré.

Dissimulé dans le delta avec sa mère, Horus échappa à la tourmente. Cependant, Isis savait combien son enfant était en péril. Seth allait mettre tout en œuvre pour le trouver. Dès lors, afin de brouiller les pistes, elle se déplaça chaque jour avec Horus dans un lieu nouveau. Ils dormaient parmi les touffes de roseaux, les bosquets de papyrus. Isis restait toujours en alerte, épiant le moindre bruit.

Car Seth s'acharnait. Avec sa meute de chiens, il parcourait sans cesse le delta, certain qu'Horus s'y cachait. Et voilà qu'il le découvrit un matin, jouant sur la rive d'un îlot. L'enfant était seul, insouciant. Seth grogna d'aise. Il ordonna à un scorpion d'aller piquer Horus, qui s'effondra.

De retour, Isis se tordit de souffrance devant le corps immobile de son fils, en appela à Rê, aux dieux. Ses plaintes déchirantes résonnèrent dans l'univers. Elles vinrent jusqu'à moi, qui connaissais les formules guérissant la piqûre des scorpions. Je fis revivre Horus, à l'immense soulagement d'Isis.

S'ensuivit une course de plus en plus fébrile à travers le pays, qui dura pendant des années. Je veillais moi-même à ce que, pendant les nuits où Seth et sa meute traquaient l'enfant, l'obscurité soit totale. Ainsi Horus échappait à son oncle.

De l'occident, où il régnait sur l'empire des morts, Osiris guettait les progrès d'Horus. Il lui arrivait aussi de le rejoindre sur terre. Alors père et fils conversaient, bataillaient, s'exerçaient au tir à l'arc, chevauchaient côte à côte. Osiris parlait à Horus du métier de pharaon, du trône sur lequel il monterait un jour. L'enfant écoutait avec passion ce père magnifique, adoré de tous et qui par-delà la mort lui enseignait la vie, et son propre destin.

À présent, Horus était un jeune dieu accompli. Il se sentait fort, réfléchi, maître de lui. Il était temps de revendiquer le trône d'Égypte usurpé par Seth. Sa voix ferme s'éleva jusqu'à Rê :

— Je suis Horus, fils d'Osiris, ô seigneur du feu céleste. Je viens vers toi afin que tu me rendes ce qui m'est dû.

Mais une autre voix résonna, qui disait :

— C'est moi, Seth, fils de Nout, qui occupe le trône aujourd'hui. Et c'est à moi qu'il doit revenir. Que nul n'en doute !

Il fallait qu'un jugement soit rendu.

Rê convoqua l'assemblée des dieux. Les deux adversaires étaient également présents, ainsi qu'Isis. Personne n'ignorait la rivalité qui opposait ces trois-là. On espérait seulement que la raison l'emporterait. Nous nous mîmes vite d'accord : Horus était l'héritier légitime. Isis était radieuse.

Mais c'était oublier Rê.

— Négligeriez-vous l'avis du roi des dieux ? tonna-t-il. Le voici : Seth, qui m'accompagne chaque nuit dans la Douât et me protège contre Apophis, est plus vaillant que vous tous réunis. Pour cette raison, il a ma préférence.

Par Noun ! Voilà qui compromettait l'issue rapide du procès. Seth et Horus furent donc conviés à exposer leurs arguments.

Le premier à parler fut Seth.

Il s'appuyait avec nonchalance

sur un sceptre énorme, comme s'il voulait influencer l'assemblée par sa force prodigieuse.

— Sachez que je suis fils de Geb, qui conquit le trône par la force, en chassant sa mère Tefnout ! Et Geb fut un grand pharaon ! Un guerrier ! C'est à moi qu'il aurait dû confier le pouvoir, non à mon frère Osiris, le laboureur. J'ai la force d'un typhon, et ma voix roule comme le tonnerre. Voyez mes mains, elles sont capables d'étrangler un bœuf et pire encore ! Je suis le vent du désert, je suis l'orage ravageant les récoltes, la foudre qui détruit les maisons ! Je tue sans pitié mes ennemis, et les amis de mes ennemis. Voilà pourquoi je dois être pharaon.

Seth se tut. Il nous regarda l'un après l'autre, mesurant l'effet de son discours. Il émanait de lui une violence animale. Lorsque nos yeux se croisèrent, je restai impassible. Moi, je pariais sur l'intelligence.

Horus s'avança. Sa voix était claire, celle d'un jeune dieu intrépide.

— Vous tous qui m'écoutez, et toi, ô Rê, n'oubliez pas que mon oncle, qui use de menaces, s'est emparé du trône de mon père Osiris. Il a pris sa vie, il a découpé son corps comme on découpe un porc ! Et voilà qu'il voudrait à présent déposséder le fils ! Je suis pourtant le seul héritier légitime. Mon oncle Seth est un assassin, un usurpateur ! Il se vante d'être fort ? Certes ! il est comme ces bœufs qui tirent les barques sur le Nil, tandis que j'aspire à en tenir le gouvernail. Allez-vous confier le pouvoir à un bœuf ? Je saurai, moi, comme mon père, régner avec sagesse. Désignez-moi et l'Égypte sera paisible et prospère, comme elle l'était du temps d'Osiris.

Isis surgit au côté de son fils.

— Trêve de paroles, dit-elle d'un ton tranchant. La vérité coule par la bouche d'Horus. Que Seth n'ajoute pas l'infamie au meurtre ! Qu'il aille dans la Douât batailler avec Apophis, son ombre ! Mais, par Nout ! qu'il cesse ses grotesques manœuvres !

Alors Seth, faisant tournoyer son énorme sceptre, marcha sur l'assemblée des dieux.

— Craignez-vous que ma sœur ne vous transforme en grenouilles, chiens galeux ? Êtes-vous des lâches qu'un discours de femme vous fasse trembler ? Par Sekhmet la rouge ! Si cette sorcière reste ici un instant de plus, je jure de vous tuer tous !

Nous refluâmes en désordre, protestant, piaillant. Seth était capable de tenir parole ! Rê calma l'assemblée par ces mots :

— J'ordonne que le tribunal se transporte dans l'île du Milieu. La présence d'Isis n'y est pas souhaitée.

Le cortège embarqua dans le bateau d'Ânti, le passeur. Lui seul pouvait acheminer sur l'île ceux qui le désiraient. Aussi Rê lui interdit-il de prendre dans sa barque toute femme ressemblant à la belle Isis. Ânti rassura le grand dieu : il se méfierait.

Nous voilà sur l'île. Les bavardages reprirent de plus belle. Horus avait de nombreux partisans, mais beaucoup craignaient les réactions de Rê et de son favori. Le débat piétinait.

Sur la rive opposée, une vieille femme surgit, qui pria Ânti de l'embarquer. Le passeur refusa.

— Mon fils garde un troupeau sur l'île et n'a rien à manger, insista-t-elle. Laisse-moi lui porter ces miches de pain, bonhomme.

Ânti examina la femme. Elle était bossue, ridée, elle peinait à porter son panier. Rien qui ressemble à Isis. Mais pourquoi se donner la peine de la faire passer ? Peu lui importait un berger affamé ! Cependant la vieille femme agita sous son nez un anneau d'or.

— Porte-moi sur l'île et ce bijou sera à toi.

Par Rê ! l'or est toujours une aubaine. Ânti déposa donc la vieille sur l'île du Milieu. Elle partit à petits pas pressés en appelant son fils.

Tu as compris, Madja, qui était cette femme. Isis la magicienne avait rusé, comme à son habitude ! Elle trotta jusqu'au lieu où se tenait l'assemblée. Seth était assis à l'écart, ruminant sa colère. Isis se transforma aussitôt en une jeune femme si belle que le dieu roux, l'apercevant, se dressa. Il lui fallait conquérir cette splendeur, et vivement ! Il la rejoignit et, la pressant de louanges, de mots doux, se mit à la courtiser.

— Tu m'honores, seigneur, dit-elle. Mais écoute d'abord ma triste histoire.

Seth y consentit, malgré sa grande impatience.

— Mon époux était berger, commença-t-elle. Il est mort en me laissant un fils, qui a mené les bêtes à son tour. L'autre jour est venu un étranger. À son regard, j'ai compris qu'il enviait notre troupeau. Il a menacé mon fils de le tuer s'il ne partait pas sur le champ. Il prétend aujourd'hui, que le troupeau lui appartient.

Tout en se tordant les mains de désespoir, la jeune femme plongeait son regard envoûtant dans celui de Seth.

— N'est-ce pas révoltant ? Approuves-tu l'attitude de cet homme ?

— Que non, ma belle ! L'étranger a perdu l'esprit ! Comment pourrait-il prendre le troupeau alors que le fils est vivant ?

Et Seth s'avança, ivre de désir, pour embrasser la jeune femme. Mais il n'étreignit que le vide. Soudain changée en épervier, Isis lui échappa d'un coup d'ailes. Et, perchée sur une haute branche, elle ricana :

— Tu t'es jugé toi-même, mon frère.

Seth reconnut la voix d'Isis et comprit le piège qu'elle lui avait tendu. Des larmes rageuses lui roulèrent des yeux. Il courut se plaindre à Rê de cette ruse qu'il jugeait indigne. Le grand dieu soupira ; une fois de plus, la magicienne s'était montrée la plus forte. Seth avait publiquement reconnu ses torts. Les dieux, qui déjà avaient eu vent de l'affaire, vinrent acclamer Horus. Et, sans que Rê ne s'interpose, je saisis la couronne et la posai sur la tête du jeune dieu. Au-dessus de nous, un épervier poussa un cri joyeux. Isis avait gagné.

— Te voici successeur d'Osiris, ton père, dis-je. Tâche d'en être digne lorsque...

Je ne pus terminer ma phrase. Seth, jusque-là sombre et silencieux, avait bondi.

— Depuis quand l'adulte doit-il s'effacer devant l'enfant ? Par Khnoum ! je dis, moi, que l'expérience prime sur l'ignorance !

Et, jetant la couronne dans le fleuve, il proclama :

— Seul un duel décidera du trône. Je te défie, jeune Horus !

Malgré le tumulte et les protestations, Rê accorda aussitôt son soutien à Seth. Isis trépignait, hurlait au scandale ; je tentai d'infléchir Rê avec des paroles mesurées. Rien n'y fit. Le grand dieu était trop content de voir son champion à nouveau plein d'ardeur.

Horus ne pouvait se dérober, sous peine de passer pour un lâche. Il accepta le défi.

Voici l'épreuve : il leur fallait s'immerger dans le fleuve et prendre la forme d'un hippopotame. Le premier qui émergerait pour happer l'air serait vaincu.

Les deux rivaux plongèrent et l'eau verte se referma sur eux. Isis était pétrie d'angoisse. Elle savait la force prodigieuse de Seth, sa résistance. Elle résolut d'aider son fils. Avec un fil et une pointe de cuivre, elle fabriqua un harpon, qu'elle lança dans les flots.

— Va, dit-elle, et blesse Seth l'assassin !

Quoique magique, l'arme rata sa cible et toucha le flanc d'Horus, qui s'irrita vivement contre sa mère. Dans quel camp était-elle donc ? Isis recommença et cette fois transperça Seth. La blessure était profonde, Seth hurla de douleur. Isis se réjouit ; elle tira sur le fil et les cris redoublèrent.

— Ô ma sœur, oublies-tu que je suis ton frère ? Nous sommes nés du même ventre ! Ôte ton harpon de ma chair !

Pourquoi Isis obéit-elle à ce frère cruel qu'elle tenait pourtant en son pouvoir ? Je l'ignore. Une brusque pitié la saisit, et elle libéra Seth.

Horus fut pris de rage. Ainsi sa mère, après avoir blessé son fils, épargnait l'assassin de son époux ! Ainsi elle abandonnait Horus alors qu'il tenait la victoire ! Par Rê ! Elle méritait la mort.

Horus bondit hors de l'eau et, du tranchant de sa lame, coupa la tête de sa mère. Puis, dévasté par la colère et l'amertume, il disparut dans le désert. Nous tous, ayant assisté à la scène, étions atterrés. Cette lutte entre l'oncle et le neveu était un malheur immense, qui semait la folie. À la vue d'Isis décapitée, Rê ordonna aux dieux de poursuivre le meurtrier, afin qu'il soit châtié. Ils enfourchèrent des chevaux, des ânes et la troupe s'ébranla avec des cris vengeurs. Seth était parmi eux.

Moi qui suis l'ami d'Isis, je la veillai seul. Mes pouvoirs, tu le sais, sont grands. J'aurais pu recoller sa tête, mais Horus l'avait jetée dans le fleuve. Je coiffai donc le cou sanglant d'une tête de vache et la déesse revint à elle, retrouvant peu à peu son visage. Elle se dressa, ses grands yeux verts écarquillés.

— Où est Horus ? cria-t-elle.

Je montrai le désert, parlai des poursuivants. Elle s'éloigna d'une démarche chancelante. Déjà elle avait pardonné à son fils et elle craignait le pire.

Elle avait raison. Ce fut Seth qui retrouva Horus endormi au pied d'un sycomore. Le crime du jeune dieu était pour lui l'occasion de régler définitivement leur différend. Et de quelle manière, Madja ! Avant même qu'Horus ne s'éveille, Seth lui arracha les yeux. Deux traits sanglants tachèrent le sol pâle. Et le dieu roux, riant de son rire énorme, emporta les yeux, les enterra au plus profond du désert. Là où nul n'irait les chercher. Plus tard, deux bourgeons perceraient le sable et deux fleurs de lotus, lumineuses comme le premier matin, s'épanouiraient.

Sans yeux, Horus n'était plus rien. Il errait dans ce qui ressemblait à une nuit éternelle, au hasard de ses pas, ses mains masquant son visage ravagé. C'est ainsi que la déesse Hathor, familière du désert, le retrouva. Elle l'entoura de ses bras, le rassura. Puis, versant du lait sur les orbites sanglantes du jeune dieu, elle fit éclore deux yeux. Horus vit à nouveau. Il découvrit à ses côtés Isis, qu'Hathor avait fait prévenir. La mère et le fils s'étreignirent. Malgré le geste horrible d'Horus, rien ne pouvait les séparer. Ils revinrent devant Rê en se tenant la main, de nouveau prêts à affronter Seth et ses prétentions au trône.

En effet, la querelle persistait. L'Égypte n'avait toujours pas de pharaon. Crois-tu, Madja, que les choses allaient enfin s'apaiser, la justice l'emporter ? Pas du tout. À peine Seth aperçut-il Horus qu'il lui lança un nouveau défi, plus grotesque encore que le premier : une course sur le fleuve dans un bateau de pierre ! Le premier arrivé serait couronné pharaon.

Isis protesta, et nous, les dieux, criâmes notre dégoût. Rien n'y fit et Horus dut céder. Les deux rivaux s'éloignèrent pour façonner leur embarcation. Horus tricha. Il construisit la sienne avec des arbres abattus sur les coteaux. Et, pour dissimuler la supercherie, il enduisit son bateau de plâtre. Le rusé ! De son côté, Seth entassa des blocs de pierre et les assembla en une formidable embarcation. Sûr que sa taille, plus imposante que celle du bateau d'Horus, lui ferait gagner la course. Arriva le moment du départ ; les deux dieux s'élancèrent.

Comme tu l'imagines, Seth l'insensé coula à pic au fond du fleuve, tandis qu'Horus filait sur l'eau ! Le dieu roux est un colosse au cerveau chétif ! Fou de rage d'avoir été trompé, il se transforma en hippopotame et détruisit d'un coup d'épaule le bateau adverse. Mais Horus s'arma d'un harpon et asséna à la bête un coup terrible. Il s'apprêtait à achever son oncle quand les dieux firent cercle autour de lui, et lui ordonnèrent d'arrêter.

— Un jugement vaut mieux qu'un coup de lance, dit Rê.

Horus obéit, bien qu'il lui en coûte. Il connaissait Seth. Le dieu

des déserts ne s'avouerait jamais vaincu. D'ailleurs, à peine fut-il de nouveau sur la rive qu'il réclama un troisième défi.

C'était intolérable. Je m'avançai vers Rê :

— Ô dieu du feu éclairant la terre, il nous faut écouter maintenant l'avis du protecteur de l'Égypte, celui qui règne sur la Douât. Lui seul peut désormais nous aider à choisir.

Disant cela, je savais, et tous avec moi, quel serait l'avis d'Osiris. Mais, par Nout ! il était temps de conclure. J'écrivis une lettre au dieu des défunts, qui fut portée par un ibis sacré.

De fait, celui-ci arbitra en faveur d'Horus et ajouta que sa sentence faisait loi. Rê fut contrarié par cette réponse impérieuse, qui négligeait l'avis du roi des dieux. Il somma Osiris de baisser le ton. Certains dieux l'approuvèrent.

De l'empire des morts où, depuis trop longtemps, il observait la lutte entre son frère et son fils, Osiris envoya alors ces mots, écrits de sa main, et que je lus à l'assemblée :

« J'ai auprès de moi des créatures dont les crocs déchirent les entrailles de tous les malfaisants. Qu'ils soient hommes ou dieux ! Voulez-vous donc que je lâche leur meute contre vous ? Ou admettez-vous enfin que Seth anéantira la terre d'Égypte s'il continue à régner ? »

À peine avais-je terminé ma lecture qu'alentour, d'innommables grognements se firent entendre, qui nous alarmèrent. Rê lui-même frémit. Aussi l'assemblée des dieux s'empressa-t-elle de désigner Horus comme le seul héritier du trône. Les menaces d'Osiris avaient fait leur œuvre. On lia Seth à un pieu, comme un prisonnier, et on le traîna devant nous, ses juges. Mis à genoux, il s'engagea à renoncer au trône.

Rê ne pouvait plus rien pour son champion. Le voir défait, tête basse, résigné, lui fut cependant insupportable. Il s'approcha de Seth, le délia et dit :

— Tu seras celui qui tonne dans les cieux et ta voix orageuse effraiera mes ennemis. Je veux aussi que tu continues à m'accompagner chaque nuit lors de la traversée de la Douât, afin de pourfendre Apophis. Qu'il en soit ainsi.

Isis néanmoins triomphait. Son cher époux était vengé, son fils couronné. Elle n'eut pas un regard pour l'assassin qui paradait encore – l'incorrigible fou ! – près de son maître. Le long combat d'Isis n'avait pas été vain. Désormais, avec Horus à sa tête, l'Égypte pourrait à nouveau s'épanouir et le Nil verrait ses deux rives reverdir. Le temps des déserts et du désordre était clos.

L'enthousiasme qui saisit les dieux fut indescriptible. Nous tous, qui entourions Horus en poussant des vivats, savions à quoi nous avions échappé : au chaos, Madja ! Aux ténèbres éternelles !

Gloire à Isis, à Horus. Sans eux, le Noun se serait refermé sur l'univers. Et je ne serais pas ici, dans cette pièce, à te conter ces récits.

OÙ L'ON TENTE DE VOLER
MON GRAND LIVRE DE MAGIE

Le soir tombe. Il est temps de m'envoler dans les cieux. Je suis l'œil de la lune, ne l'oublie pas. Je vais saluer ton père et m'en irai. Allons, Madja, ne boude pas. Tu sais bien qu'à tout il faut un début et une fin. N'es-tu pas rassasiée des querelles, des complots, des tumultes, des batailles ? Non, dis-tu ? Tu voudrais que je poursuive ? C'est qu'après Horus, qui fut le dernier pharaon divin, les hommes seuls régnèrent sur la terre d'Égypte. Les dieux ont rejoint depuis longtemps l'empyrée, qui est notre ultime territoire céleste. Si bien qu'il ne se passe plus rien parmi nous qui soit digne d'intérêt.

Tu insistes, je vois. Bien. Il me vient un dernier récit, mais promets-moi de t'en contenter. J'ai à faire, vraiment. Tu n'imagines pas combien ma tâche est lourde.

Je vais te parler de deux hommes fameux, des princes, qui tentèrent de voler mon grand livre de magie, et ce qu'il leur en coûta.

Oui, j'ai consigné mes secrets de magicien dans un livre. C'était il y a fort longtemps, lorsque je vivais encore sur terre avec les dieux. Ce livre contient toutes mes connaissances, et deux formules magiques. La première permet à celui qui la récite d'envoûter la terre, le ciel et l'au-delà ; elle aide aussi à comprendre le langage des oiseaux, des poissons, des reptiles. La seconde permet de ressusciter les morts. Tu comprends donc combien cet ouvrage peut réjouir celui qui le possède.

Venons-en aux deux voleurs.

Je t'ai déjà parlé du premier, Setni, le fils du pharaon Ramsès. C'était un homme très savant et, surtout, passionné de magie. Naturellement, il connaissait l'existence de mon livre. Un jour, par le bavardage d'un prêtre, il apprit que l'ouvrage se trouvait à Memphis, dans le tombeau d'un prince, Naneferkaptah. Il s'y rendit sur-le-champ. Après avoir longtemps erré dans la nécropole, la cité des morts, il trouva l'entrée du tombeau. Muni d'une torche, il parcourut un long couloir qui le conduisit à la salle funéraire. Un sarcophage doré luisait doucement dans la pénombre. À son flanc, posé sur un autel, brillait mon grand livre de magie. Il en émanait une très vive lueur. Ivre de joie, Setni fit un pas pour s'en emparer. Il recula aussitôt car le sarcophage s'ouvrit. La momie de Naneferkaptah se matérialisa devant lui et une voix caverneuse se fit entendre :

— Ne touche pas à ce livre, prince ! Ou il te détruira comme il m'a détruit.

Setni n'était nullement impressionné. Magicien, il fréquentait depuis longtemps les ombres des morts, les génies, les créatures de l'au-delà.

— Dis-moi plutôt comment ce livre sacré est parvenu jusqu'ici, lança-t-il.

— J'étais comme toi, Setni : un magicien ambitieux, désireux de posséder le livre de Thot. J'appris qu'il était caché au fond de la mer, dans un coffre de fer. Je conçus une barque magique, qui m'y mena avec ma femme et mes deux enfants. La mer s'ouvrit et je vis le coffre. Je plongeai. Mais le coffre de fer en dissimulait un autre, en cuivre celui-là. J'y découvris un coffre de bois, puis un autre d'ivoire, puis d'argent. Chaque coffre était gardé par des reptiles, des scorpions, contre lesquels je dus batailler rudement. Le dernier coffre était en or et contenait le livre fameux. Un serpent monstrueux l'entourait de ses sept anneaux. La lutte fut féroce. Mille fois je crus mourir, mais je parvins à tuer la bête. Ouvrant le coffre d'or, je saisis le livre de Thot et remontai à la surface, dans la barque, parmi les miens. Aussi vite que je pus, je recopiai chaque mot du livre sur un papyrus, que je fis dissoudre dans un pot de bière. J'avalai le breuvage, afin que mon cœur connaisse tous les secrets de Thot. Puis j'enfouis précieusement le livre dans ma tunique. Par Rê le faiseur de feu ! j'étais devenu le plus grand magicien du monde, Setni ! Seule la mort pouvait m'ôter ces fabuleux pouvoirs.

« La mort vint, prince. Elle fut soudaine comme la foudre. Sur le chemin du retour, une vague immense balaya mon embarcation et je péris avec les miens. Thot ne pouvait tolérer qu'un homme lui vole des secrets. J'ai su qu'il s'en était plaint à Rê, qui avait ordonné à l'océan de m'engloutir. Mon corps fut retrouvé sur le rivage. On m'enterra alors ici avec le livre, dont je suis maintenant le gardien, puisque j'avais tué les précédents.

Setni avait écouté le récit avec attention. Mais, au lieu d'être effrayé par le châtiment atroce subi par Naneferkaptah, il tenta une nouvelle fois de s'emparer du livre.

— Tu es obstiné, prince, dit la momie. Soit. Je te convie à jouer quatre parties de dames. Si tu en gagnes une, je te laisserai emporter le livre.

Naneferkaptah savait ce qu'il faisait : il était imbattable à ce jeu. Setni accepta et perdit la première partie. L'autre saisit aussitôt le damier et asséna un tel coup à Setni qu'il le planta dans le sol jusqu'aux hanches.

— Que fais-tu, cria Setni ? Es-tu fou ?

— C'est la règle, prince. Le perdant doit accepter la loi du vainqueur. Et il me plaît de t'enfouir sous terre !

La deuxième et la troisième partie furent gagnées par la momie. Et chaque fois un coup terrible enfonçait Setni

davantage dans le sol. Avant la dernière partie, seule la tête du prince restait visible, ainsi que ses deux mains, car il lui fallait déplacer les pions.

— Jouons encore, prince ! gloussa la momie.

Mais Setni n'entendait pas disparaître ainsi. Saisissant une puissante amulette qu'il portait au cou, il prononça une formule qui le fit jaillir de terre. Puis, repoussant violemment Naneferkaptah, il empoigna le livre de magie et s'enfuit du tombeau.

Moi, tu penses bien, j'avais suivi la scène, Madja. Et je préparai de sévères représailles. Il ne serait pas dit qu'un misérable magicien m'outrage encore une fois.

Voilà donc Setni au palais royal brandissant son butin devant Ramsès. Il se rengorgeait, le fou ! Il se dandinait comme un paon. Il prétendait détenir la clé de tous les mystères de l'univers ! Le pharaon était effaré.

— Je te supplie de remettre le livre là où tu l'as trouvé, mon fils, ou le feu du ciel te poursuivra !

Setni ignora le conseil de son père et, le livre niché sous sa tunique, s'en fut. En chemin, il rencontra une femme d'une telle beauté qu'il en fut bouleversé. Un désir fougueux le prit et il pria la belle de passer une heure avec lui, contre quelques pièces d'or. Elle le regarda avec mépris et lâcha :

— Me prendrais-tu pour une courtisane ?

Et, comme il insistait :

— Je ne céderai qu'à une condition : que tu me lègues tous tes biens.

Setni hésita, mais son impatience était trop grande. Il fit venir des scribes qui rédigèrent des actes conformes à ce que désirait la femme. Puis il tenta de l'entraîner.

— Tout doux, dit-elle. Qui m'assure que tes enfants ne contesteront pas tes décisions ? Fais-les venir, qu'ils signent eux-mêmes ces actes.

Par Noun ! C'était les déshériter. Mais Setni était comme ensorcelé par la femme. Il fit venir ses enfants, qui s'exécutèrent.

— Allons, supplia-t-il, il est temps. Viens en mon palais, ma colombe...

La femme murmura à son oreille :

– Je crains, mon ami, que tes enfants ne cherchent querelle aux miens, au sujet de tes biens. Tue-les. Ensuite, je serai à toi.

Tuer ses propres enfants ! Ah, quelle abomination ! Tu es horrifiée, Madja, je le vois bien. Tout comme Setni, quand il entendit ce terrible propos. Pourtant, sa main fouilla sa tunique, où toujours il glissait un poignard. Il le tira de son fourreau, et s'élança vers ses enfants.

N'aie pas peur, Madja. Le pire n'eut pas lieu. Setni s'éveilla soudain, le cœur fou, couvert d'une sueur glacée. Il regarda autour de lui, vit son épouse assoupie à son flanc. Bondissant de sa couche, il se précipita dans la chambre de ses enfants, qui dormaient. Il respira, immensément soulagé.

Ce n'était qu'un cauchemar. Mais il comprit qu'il s'agissait aussi d'un avertissement des dieux, qui disait ceci : la folie et la mort guettent l'homme lorsqu'il veut se mesurer aux dieux. Cette femme si cruelle était l'image même de son châtiment.

Tu vois, Madja, je n'ai pas eu besoin de menacer Setni, encore moins de le foudroyer. Un simple cauchemar a suffi.

Le lendemain, Setni fit déposer le livre sacré dans la tombe de Naneferkaptah, où il se trouve toujours. Car Ramsès, qui avait beaucoup craint pour son fils, fit sceller le tombeau et l'entoura de trois murailles successives.

Bien malin qui découvrirait désormais le grand livre de magie. Je sais que certains le cherchent encore. Quels insensés ! La bêtise et la folie des hommes me feront toujours rire.

Tel est, fille de Mékétrê, mon ultime conte.

Ne m'en veux pas. Il faut des ailes à la lune pour surgir dans le ciel étoilé, et ce sont les miennes. Adieu. Oui, ferme tes paupières comme on clôt un coffret. Tout ce que je t'ai raconté peuplera tes songes. Dors, dors. Moi, ton ami Thot, je veille sur ton sommeil ainsi que sur le monde.

Ah, j'entends le pas d'un serviteur. Ton père et ta mère ne sont pas loin, qui bavardent paisiblement. Je t'envie, Madja, d'être aussi entourée. J'ai beau avoir la compagnie des étoiles, je me sens seul, parfois, au firmament.

Table des matières

© Éditions Nathan (Paris, France), 2013
Loi n°49-956 du 16 juillet 1949
sur les publications destinées à la jeunesse
ISBN : 978-2-253953-8
N° éditeur : 10182950 - Dépôt légal : octobre 2013
Imprimé en France par Pollina - L65947